강력한 숭실대 자연계 논술

기출문제

강력한 숭실대 자연계 논술 기출문제

저자 소개

저자 김근현은 현재 탁트인 교육, 일으킨 바람, 에듀코어 대표이다.
前 메가스터디 온라인에서 대입 논술과 면접, 자기소개서, 학생부종합 등 다양한 동영상 강의를 하였다.
현재는 학습 프로그램 개발 및 연구 활동을 통해 교육의 발전을 고민하고 있다.
홍익대학교에서 전자전기공학부를 졸업하고 동대학원에서 전자공학 석사(반도체 레이저)를 전공하였다. 또한 연세대학교 교육경영최고위자 과정을 마쳤으며 연세대학교 교육대학원에서 평생교육 경영을 공부하고 있다.

강력한 숭실대 자연계 논술 기출 문제

발   행 | 2024년 08월23일
저   자 | 김근현
펴낸이 | 김근현
펴낸곳 | 일으킨 바람
출판사등록 | 2018.11.12.(제2018-000186호)
주   소 | 경기도 고양시 일산서구 하이파크 3로 61 409동 1503호
전   화 | 031-713-7925
이메일 | ileukinbaram@gmail.com

ISBN | 979-11-94255-05-5

www.iluekinbaram.com

강력한

숭실대 자연계

논술 기출문제

김 근 현 지음

차례

Ⅰ. 숭실대학교 논술 전형 분석

1. 논술 전형 분석

1) 전형 요소별 반영 비율 (2025학년도 변경!!)

전형요소	논술	학생부교과	총합
논술고사	**80%**	**20%**	100%
점수	최고: 80점 최저 : 0점	최고 20점 최저 : 0점	100점

2) 학생부 교과 반영

20%

(ㄱ) 반영교과 및 반영비율

- 계열 구분 없이 국어, 수학, 영어, 과학 교과(군) 반영 전 과목 반영
- 학년별 가중치 없음

구분	공통과목/일번선택(80%)				진로선택 (20%)
	국어교과	수학교과	영어교과	과학교과	
자연계열	15	35	25	25	100

대 상	인정범위	반영 교과
졸업(예정)자	1학년 1학기 ~ 3학년 1학기	국어, 영어, 수학, 과학

(ㄴ) 공통과목 및 일반선택과목

구분	등급	1등급	2등급	3등급	4등급	5등급	6등급	7등급	8등급	9등급
변환점수		2.0	1.9	1.8	1.7	1.6	1.4	1.0	0.6	0

(ㄷ) 진로선택과목

- 반영교과에 해당하는 전 과목의 성취도를 등급으로 변환하여 반영

성취도	A	B	C
석차등급	1	2	3
변환점수	2.0	1.9	1.8

(ㄹ) 변환 점수 평균

최종환산점수=(공통과목 일반과목 환산점수＋진로선택 환산점수)
×학생부 교과성적 반영비율

3) 수능 최저학력 기준

국어(화법과 작문, 언어와 매체 중 택1), 수학(확률과 통계, 미적분, 기하 중 택1), 영어, 탐구(사회/과학탐구 중 1과목) 중 *2개 영역* 등급의 *합 5* 이내

4) 논술 전형 결과

(ㄱ)   2024학년도 논술 전형 결과

모집단위	모집인원	지원인원	최종등록인원	경쟁률	충원합격		주요교과평균	논술평균	수능최저학력기준충족비율
					충원인원	충원율			
수학과	5	112	4	22.4:1	0	0%	3.59	42.6	30%
물리학과	5	108	5	21.6:1	5	100%	3.50	23.0	37%
화학과	4	99	4	24.8:1	1	25%	3.01	25.9	58%
정보통계·보험수리학과	4	93	4	23.3:1	1	25%	3.98	34.9	51%
의생명시스템학부	5	201	4	40.2:1	0	0%	3.59	34.1	52%
화학공학과	12	397	12	33.1:1	3	25%	3.08	32.7	55%
신소재공학과	12	430	11	35.8:1	2	17%	3.05	29.5	57%
전기공학부	12	392	12	32.7:1	7	58%	3.31	32.4	49%
기계공학부	12	373	11	31.1:1	0	0%	3.43	37.6	48%
산업정보시스템공학과	10	336	10	33.6:1	7	70%	3.22	28.7	48%
건축학부(건축학·건축공학전공)	7	270	7	38.6:1	4	57%	3.30	34.4	45%
컴퓨터학부	10	465	10	46.5:1	4	40%	3.12	35.2	56%
전자정보공학부(전자공학)	12	394	12	32.8:1	6	50%	3.53	36.9	60%
전자정보공학부(IT융합)	12	417	12	34.8:1	1	8%	3.46	30.0	53%
글로벌미디어학부	8	246	8	30.8:1	4	50%	3.49	35.0	46%
소프트웨어학부	11	429	11	39.0:1	5	45%	2.83	36.5	67%
AI융합학부	6	200	6	33.3:1	0	0%	3.35	34.8	50%

(ㄴ) 2023학년도 논술 전형 결과

모집단위	모집 인원	지원 인원	경쟁률	충원합격		주요교과 평균
				충원인원	충원율	
수학과	5	116	23.2	5	100%	3.08
물리학과	6	130	21.7	3	50%	3.45
화학과	4	103	25.8	3	75%	3.42
정보통계·보험수리학과	4	108	27.0	3	75%	3.85
의생명시스템학부	5	224	44.8	0	0%	3.39
화학공학과	12	437	36.4	3	25%	3.34
신소재공학과	12	461	38.4	7	58%	3.56
전기공학부	12	415	34.6	9	75%	3.87
기계공학부	12	425	35.4	6	50%	3.80
산업정보시스템공학과	10	362	36.2	10	100%	3.80
건축학부 (건축학·건축공학 전공)	7	295	42.1	2	29%	3.87
컴퓨터학부	10	389	38.9	3	30%	3.37
전자정보공학부 (전자공학)	12	377	31.4	0	0%	3.65
전자정보공학부 (IT융합)	12	372	31.0	2	17%	3.40
글로벌미디어학부	8	214	26.8	3	38%	3.38
소프트웨어학부	11	393	35.7	2	18%	2.96
AI융합학부	6	172	28.7	0	0%	3.19

(ㄷ) 2022학년도 논술 전형 결과

모집단위	모집 인원	지원 인원	경쟁률	충원합격		주요교과 평균
				충원인원	충원율	
수학과	5	141	28.2	3	60%	2.90
물리학과	6	136	22.7	7	117%	3.71
화학과	5	133	26.6	1	20%	3.85
정보통계· 보험수리학과	4	93	23.3	0	0%	3.28
의생명시스템학부	5	272	54.4	3	60%	3.53
화학공학과	12	379	31.6	1	8%	3.36
신소재공학과	12	369	30.8	4	33%	3.75
전기공학부	12	352	29.3	4	33%	3.91
기계공학부	13	409	31.5	6	46%	3.98
산업정보시스템 공학과	10	300	30.0	6	60%	3.78
건축학부 (건축학·건축공학 전공)	7	235	33.6	3	43%	3.52
컴퓨터학부	10	532	53.2	5	50%	3.11
전자정보공학부 (전자공학)	12	462	38.5	6	50%	3.21
전자정보공학부 (IT융합)	12	505	42.1	2	17%	3.66
글로벌미디어학부	8	243	30.4	5	62%	4.25
소프트웨어학부	11	560	50.9	2	18%	3.00
AI융합학부	7	259	37.0	4	57%	4.25

1. 논술 분석

구분	인문계열		
출제 근거	고교 교육과정 내 출제		
출제 범위	자연	수학	수학, 수학 Ⅰ, 수학 Ⅱ, 미적분 **(학률과 통계 제외, 단, 수학의 경우의수 출제됨)**
논술유형	자연계형		
문항 수	4문항 (문항별 소문항 있음)		
답안지 형식	글자수 제한 없음 (B4단면)		
고사 시간	100분		

1) 출제 구분 : 계열 구분

2) 출제 방향 : 통합교과형

● 자연계열 :
• 수학의 기본 개념을 이해하고 이를 수리적 의사결정에 활용하는 문제

3) 출제 유형 :

● 자연계열 - 수리 논술, 글자수 제한 없음

2. 출제 문항 수

구분	자연계
문항수	4문항

3. 시험 시간
· **100분**

4. 필기구
· **검은색 필기구 사용 (볼펜, 연필, 사인펜 등)**
· **연필 사용시 지우개 사용가능**
· **볼펜 또는 사인펜 사용시 수정액 및 수정테이프 사용 금지**

5. 답안 양식
· **4문항 B4용지 노트형 (2장 4페이지)**

6. 논술 유의사항

1) 답안 작성 시 유의 사항

※ 자연계열 주의사항

① 답안 작성 시 반드시 【문제 1】과 【문제 2】는 앞면에 【문제 3】과 【문제 4】는 뒷면에 작성할 것 (지정한 면에 작성하지 않을 경우 '0'점 처리함.)

② 답안지에 논리적인 풀이 과정을 작성할 것.

③ 답안지에 자신을 드러내는 표현이나 표식을 하지 말 것.

④ 검은색 필기구 연필 볼펜 사인펜 등 만을 사용하여 답안을 작성할 것 그 외의 색 필기구 사용은 부정행위에 해당함.)

2) 2024학년도 논술 채점 기준

【문제 1】 다음 제시문을 읽고 아래 논제에 답하시오. (25점)

> 닫힌구간 $[a, b]$에서 연속인 함수 $f(x)$에 대하여 미분가능한 함수 $x = g(t)$의 도함수 $g'(t)$가 $a = g(\alpha)$, $b = g(\beta)$일 때, α와 β를 포함하는 구간에서 연속이면
>
> $$\int_a^b f(x)dx = \int_\alpha^\beta f(g(t))g'(t)dt$$
>
> [출처 : 미적분 「적분법」]

$0 < t < 1$에 대하여 $(-1, 0)$과 $(t, 0)$을 지름의 양 끝 점으로 하는 원과, $(t, 0)$과 $(1, 0)$을 지름의 양 끝 점으로 하는 원이 있다. 이 두 원에 동시에 접하고 기울기가 음수인 접선을 ℓ이라고 하자.

이때 다음 문항에 답하시오.

(1) 직선 ℓ의 방정식을 구하시오.

(2) 직선 ℓ의 y절편을 $f(t)$라고 할 때, $\int_{\frac{1}{2}}^{\frac{\sqrt{2}}{2}} f(t)dt$를 구하시오.

하위 문항	채점 기준	배점
(1)	지름의 끝점을 이용하여 두 원의 정보를 구하고, 이로부터 두 원에 접하는 직선의 방정식을 올바르게 구하였다.	15
(2)	직선의 y절편으로 정의되는 함수에 대한 정적분을 치환적분을 이용하여 올바르게 계산하였다.	10

【문제 2】 다음 제시문을 읽고 아래 논제에 답하시오. (25점)

> 미분가능한 함수 $f(x)$의 역함수 $f^{-1}(x)$가 존재하고 미분가능할 때, 역함수 $y = f^{-1}(x)$의 도함수는

$$\frac{dy}{dx} = \frac{1}{\dfrac{dx}{dy}} \quad \text{또는} \quad (f^{-1})'(x) = \frac{1}{f'(f^{-1}(x))}$$

[출처 : 미적분 「여러 가지 미분법」]

정의역이 $\{x \mid x \geq 0\}$인 두 함수 $f(x)$와 $g(x)$가 아래와 같이 주어져 있다.

$$f(x) = 1 - |x - 2n - 1| \quad (2n \leq x < 2n+2, \ n = 0, \ 1, \ 2, \ 3, \ \cdots)$$

$$g(x) = x^2 + kx + 1 \qquad (단, \ k > 1)$$

함수 $h(x)$가 함수 $g(x)$의 역함수이고 $u(x) = h(x) - f(x)$(단, $x \geq 1$) 일 때, 다음 문항에 답하시오.

(1) 양의 정수 n에 대하여 $2n \leq x \leq 2n+2$일 때 함수 $u(x)$의 증가와 감소를 조사하시오.

(2) 함수 $u(x)$의 그래프와 x축이 1001개의 서로 다른 점에서 만나도록 하는 실수 k의 값의 범위를 구하시오.

하위 문항	채점 기준	배점
(1)	정의역에서 일대일대응이 되는 이차함수의 역함수와 절댓값으로 정의된 함수의 미분계수를 계산하고, 두 함수의 차로 정의되는 함수의 증가와 감소 정보를 정확히 묘사하였다	15
(2)	정의된 함수의 그래프의 x절편의 개수를 각 구간에서 바르게 판단하고, 이로부터 k의 정보를 올바르게 유도하였다.	10

【문제 3】 다음 제시문을 읽고 아래 논제에 답하시오. (25점)

함수 $f(x)$가 실수 a에 대하여 다음 세 조건을 모두 만족시킬 때, $f(x)$는 $x = a$에서 연속이라고 한다.
(i) 함수 $f(x)$가 $x = a$에서 정의되어 있다.
(ii) 극한값 $\lim\limits_{x \to a} f(x)$가 존재한다.
(iii) $\lim\limits_{x \to a} f(x) = f(a)$

[출처 : 수학Ⅱ 「함수의 연속」]

함수 $f(x)$와 $g(x)$가 아래와 같이 주어져 있다.

$$f(x) = \begin{cases} 1 - x^2 & (x \leq 0) \\ 1 - ax^2 & (x > 0) \end{cases} \ (단, \ a는 상수), \quad g(x) = \begin{cases} -x + \dfrac{1}{2} & (x \leq 0) \\ -x - \dfrac{1}{4} & (x > 0) \end{cases}$$

합성함수 $f(g(x))$는 연속이라고 하자.

이때 한 변이 x축 위에 있고, 함수 $f(x)$의 그래프와 x축으로 둘러싸인 도형에 내접하는 직사각형의 넓이의 최댓값을 구하시오.

하위 문항	채점 기준	배점
-	연속성을 통하여 함수의 계수를 계산하고, 주어진 성질을 만족하는 직사각형의 넓이를 함수로 표현하고 미분하여 최댓값을 구할 수 있다.	25

【문제 4】 다음 제시문을 읽고 아래 논제에 답하시오. (25점)

> ・ 서로 다른 n개에서 $r(0 \le r \le n)$개를 택하는 순열의 수는
>
> $$_n\mathrm{P}_r = \mathrm{n(n-1)(n-2)\cdots(n-r+1)} = \frac{\mathrm{n!}}{\mathrm{(n-r)!}}$$
>
> ・ 서로 다른 n개에서 $r(0 \le r \le n)$개를 택하는 조합의 수는
>
> $$_n\mathrm{C}_r = \frac{_n\mathrm{P}_r}{\mathrm{r!}} = \frac{\mathrm{n!}}{\mathrm{r!(n-r)!}}$$
>
> [출처 : 수학 「경우의 수」]

다음 조건을 만족시키는 함수 f의 개수를 세려고 한다.

> $f : \{1,\ 2,\ 3,\ 4,\ 5,\ 6\} \rightarrow \{1,\ 2,\ 3,\ 4,\ 5,\ 6\}$, $f \circ f$는 항등함수

이를 위하여 학생 A 는 다음과 같은 방법을 제시하였다.

> **(가)** $f(a) = b$이면 $f(b) = a$여야 한다.
>
> **(나)** 그러므로 $\{1,\ 2,\ 3,\ 4,\ 5,\ 6\}$의 모든 원소를 두 개씩 세 쌍으로 나누는 경우의 수를 구하면 된다.
>
> **(다)** 따라서 조건을 만족시키는 함수 f의 개수는 $_6\mathrm{C}_2 \times _4\mathrm{C}_2 \times _2\mathrm{C}_2 = 15 \times 6 \times 1 = 90$개이다.

이때 다음 문항에 답하시오.

(1) 학생 A의 방법에서 잘못된 점을 모두 찾아서 설명하시오.

(2) 위의 조건을 만족시키는 함수 f의 개수를 구하시오.

하위 문항	채점 기준	배점
(1)	학생 A의 방법 중 잘못된 점 두 가지를 지적할 수 있다.	15
(2)	주어진 조건을 만족시키는 경우의 수를 나누어 각각 조합의 수로 계산할 수 있다.	10

II. 기출문제 분석

1. 출제 경향

학년도	교과목	질문 및 주제
2024학년도 수시 논술	수학, 미적분	원, 접선, 치환적분
	수학Ⅱ, 미적분	역함수, 함수의 증가와 감소
	수학Ⅱ	함수의 연속, 함수의 증가와 감소, 극대와 극소
	수학	경우의 수, 순열과 조합
2024학년도 모의 논술	수학, 미적분	원의 접선의 방정식, 삼각형의 넓이, 삼각함수 미분법
	수학Ⅱ	미분계수, 미분가능성, 삼각함수의 주기성, 함수 그래프의 모양 파악
	수학, 미적분	역함수, 극한, 정적분
	수학	조합의 의미, 조합의 수
2023학년도 수시 논술 자연1	수학, 미적분	삼차방정식과 사차방정식, 이계도함수
	수학I, 미적분	일반각과 호도법, 속도와 거리
	수학Ⅱ, 미적분	함수의 증가와 감소, 극대와 극소, 매개변수로 나타낸 함수의 미분법
	수학I, 미적분	여러 가지 수열의 합, 치환적분법
2023학년도 수시 논술 자연2	수학, 수학I	및 용어 원의 방정식, 사인법칙과 코사인 법칙
	수학Ⅱ	함수의 연속, 함수의 그래프
	수학Ⅱ, 미적분	함수의 증가와 감소, 극대와 극소, 입체도형의 부피
	수학Ⅱ, 미적분	함수의 증가와 감소, 극대와 극소 삼각함수의 덧셈정리, 속도와 거리

학년도	교과목	질문 및 주제
2023학년도 모의 논술	수학I, 미적분	삼각함수, 도형의 닮음, 삼각함수의 극한
	수학Ⅱ, 미적분	함수의 연속성, 미분가성성, 삼차함수의 극솟값, 미분계수, 함수의 접선
	수학, 수학Ⅱ, 미적분	삼각함수의 덧셈정리, 이차방정식의 성질, 곡선을 둘러싸인 도형의 넓이
	수학Ⅱ	사인함수의 주기, 미분계수, 정적분, 등비급수
2022년도 수시 논술 자연1	미적분	합성함수 미분, 미분계수, 치환적분법, 정적분
	수학Ⅱ, 미적분	삼각함수, 함수의 연속성, 극한, 미분계수, 두 곡선으로 둘러싸인 영역의 넓이
	수학Ⅱ, 미적분	사인법칙, 코사인법칙, 삼각형의 넓이, 이차방정식의 근과 계수의 관계
	수학I, 수학Ⅱ, 미적분	삼각함수의 주기성, 미분계수, 정적분
2022년도 수시 논술 자연2	미적분	로그함수, 합성함수, 미분계수, 접선의 방정식, 치환적분, 정적분
	수학I, 수학Ⅱ	사인법칙, 접선의 기울기, 삼각형을 이용한 오각형의 넓이
	수학, 수학Ⅱ, 미적분	원과 직선 사이의 거리 및 접선, 삼각함수, 직선의 교점을 이용한 삼각형의 넓이, 함수의 최대 최소,
	수학Ⅱ, 미적분	적분, 함수의 연속성, 미분가능성, 정적분
2021학년도 수시 논술 자연1	수학, 수학 Ⅱ	인수분해, 함수의 증가와 감소, 속도와 거리
	수학I, 수학Ⅱ	함수의 연속성, 삼각함수, 정적분
	확률과 통계	확률의 덧셈정리, 곱셈정리, 조건부확률
	수학I, 수학Ⅱ	함수의 연속성, 삼각함수, 정적분

학년도	교과목	질문 및 주제
2021학년도 수시 논술 자연2	수학I, 수학Ⅱ	함수의 연속성, 삼각함수, 정적분
	수학Ⅱ, 미적분	정적분의 활용, 함수의 극한, 도함수의 활용
	확률과 통계	확률변수, 확률분포, 기댓값
	수학, 수학Ⅱ	이차함수, 함수의 최대·최소 정리
2021학년도 모의 논술	수학, 미적분	역함수, 역함수 미분, 접선의 방정식, 정적분
	수학I, 수학Ⅱ, 미적분	부채꼴의 넓이, 입체도형의 부피, 부피의 순간변화율, 삼각함수의 극한, 도함수
	확률과 통계	조건부확률, 확률변수, 확률분포, 확률의 곱셈정리, 이산확률변수의 기댓값
	미적분, 확률과 통계	직선의 기울기, 사잇각, 수열의 극한, 여러 가지 함수의 미분, 이항정리 삼각함수의 덧셈정리

2. 출제 의도

학년도	출제의도
2024학년도 수시 논술	● 주어진 조건을 기하적으로 구성하고 원과 직선의 관계를 이해하여 함수를 만들고, 이를 적분하는 능력을 평가한다. ● 주어진 함수의 역함수로 정의된 함수와 구간별로 정의된 함수의 증가와 감소 정보를 도함수를 활용하여 구하고 이로부터 두 함수의 그래프가 만나는 점의 개수를 확인하는 능력을 평가한다. ● 함수의 연속의 정의를 이용하여 주어진 함수의 정확한 형태를 파악하고 도형에 내접하는 직사각형의 최댓값을 계산하는 능력을 평가한다. ● 주어진 조건을 만족시키는 함수의 각 경우의 수를 조합의 수로 계산하는 능력을 평가한다.
2024학년도 모의 논술	● 원 위의 접선의 방정식과 주어진 직선과의 교점을 이용하여 사각형의 면적을 올바르게 표현하고 도출된 사각형 면적의 최솟값을 도함수를 이용하여 구하는 능력을 평가한다. ● 삼각함수와 직선으로 이루어진 함수의 미분가능성을 이용하여 주어진 함수의 실수해의 개수를 올바르게 도출하고 주어진 조건을 만족하는 일차함수의 절편의 크기의 최댓값을 구하는 능력을 평가한다. ● 주어진 함수의 역함수가 존재하기 위한 조건을 이용하여 함수의 기울기에 대한 관계식을 도출하고 이를 만족시키면서 주어진 함수의 정적분의 최대값을 구할 수 있는 능력을 평가한다. ● 순열과 조합을 이용하여 선수를 선발하는 다양한 방법에 대한 경우의 수를 계산할 수 있고 선발 방법의 차이에 따른 경우의 수의 차이를 설명할 수 있는 능력을 평가한다.
2023학년도 수시 논술 자연1	● 주어진 조건과 변곡점의 정의와 예각삼각형의 조건을 이용하여 함수의 올바른 형태를 찾는 능력을 평가한다. ● 속력과 시간의 관계 및 도함수를 활용하여 주어진 함수가 최대가 되도록 하는 조건을 찾는 능력을 평가한다. ● 점 P가 움직이는 거리와 시간을 원호의 길이 θ에 대한 함수로 나타낸 후 도함수를 이용하여 시간이 최대가 되도록 하는 시각 $t = 0$에서의 점 P에서의 위치를 구하는 문제이다. ● 매개화된 두 곡선 위를 움직이는 점의 위치를 계산하고 두 점 사이의 거리의 최솟값을 계산하는 능력을 평가한다.

학년도	출제의도
2023학년도 수시 논술 자연2	● 사인법칙을 이용하여 원에 내접하는 삼각형의 변의 길이와 넓이를 구하는 능력을 평가한다.
	● 함수의 그래프를 그리는 능력 및 연속성의 정의를 이용하여 주어진 조건을 만족시키는 함수의 형태를 파악하는 능력을 평가한다.
	● 정적분을 활용하여 입체도형의 부피를 구하고, 문제의 조건으로부터 함수를 정의한 후 그 함수의 최댓값을 구하는 능력을 평가한다.
	● 삼각함수의 덧셈정리를 이용하여 주어진 두 직선의 기울기로부터 두 직선 사잇각의 삼각함수를 계산하여, 시간을 속력과 거리에 대한 함수로 나타낸 후 극값의 조건으로부터 속력을 계산하는 능력을 평가한다.
2023학년도 모의 논술	● 도형의 닮음을 이용하여 선분의 길이 및 도형의 넓이를 삼각함수의 형태로 올바르게 도출하고, 도출된 삼각함수의 극한을 구하는 능력을 평가한다.
	● 함수의 연속성과 미분가능성, 삼차함수의 극솟값의 성질을 이용하여 구하는 함수에 대한 정보를 올바르게 도출하고, 도출된 함수의 접선 및 접선에 수직인 직선에 대한 정보를 구하는 능력을 평가한다.
	● 접선의 방정식, 삼각함수의 덧셈정리, 근과 계수와의 관계를 이용하여 접점 및 넓이에 관한 관계식을 도출해내며, 도출된 관계식으로부터 유도되는 영역의 넓이를 정적분을 이용하여 해결하는 능력을 평가한다.
	● 일상 생활에서 일어나는 현상을 수학적 문제로 변환하며 이를 정적분을 이용하여 해결하는 능력을 평가한다.
2022학년도 수시 논술 자연1	● 합성함수의 미분법 및 치환적분법을 활용하여 주어진 함수의 미분계수와 정적분의 값을 계산하는 능력을 평가한다.
	● 삼차함수의 특징, 함수의 연속성과 극한, 미분계수의 정의를 이용하여 구하는 함수에 대한 정보를 바르게 도출하고, 도출된 함수로 정의되는 영역의 넓이를 정적분을 이용하여 해결하는 능력을 평가한다.
	● 사인법칙과 코사인법칙을 활용하여 삼각형에 대한 정보를 구하는 능력을 평가한다.
	● 삼각함수의 주기성과 미분계수의 정의로부터 주어진 함수의 정보를 도출하여 주어진 정적분을 구하는 능력을 평가한다.

학년도	출제의도
2022학년도 수시 논술 자연2	● 합성함수의 미분법 및 치환적분법을 적용해 접선의 방정식 및 정적분의 값을 구하는 능력을 평가한다.
	● 주어진 조건으로부터 내접하는 삼각형을 구성하고 사인법칙을 활용할 수 있는 능력, 접선의 기울기를 활용하여 넓이가 최대가 되는 점을 구할 수 있는 능력을 평가한다.
	● 주어진 상황을 이해하고, 원 위의 접선의 성질과 직교하는 직선의 특징을 이용하여 주어진 조건을 만족하는 삼각형의 넓이를 함수로 표현하고 그 최솟값을 구하는 능력을 평가한다.
	● 주어진 함수의 정의를 이해하고, 연속성과 미분가능성을 이용하여 미지의 상숫값을 결정하고, 제시된 정적분을 올바르게 계산하는 능력을 평가한다.
2021학년도 수시 논술 자연1	● 함수의 미분과 적분을 활용하여 속도와 거리의 관계, 함수의 증가와 감소와 관련된 정보를 계산하는 능력을 평가하는 문제이다.
	● 역함수의 성질 및 도함수와 정적분의 성질을 이용하여 주어진 조건을 만족하는 함수의 최댓값을 구하는 능력을 평가하는 문제이다.
	● 문제에서 주어진 상황을 이해하고, 조건부확률의 개념과 확률의 덧셈정리 및 곱셈정리를 활용하여 확률을 계산하는 능력을 평가한다.
	● 호도법을 올바르게 이해하고 도형의 넓이 및 합성함수의 도함수를 이용하여 극한을 올바르게 계산하는 능력을 평가하는 문제이다.
2021학년도 수시 논술 자연2	● 함수의 연속성 개념, 삼각함수의 주기성 및 여러 가지 적분법을 적용해 적분을 구하는 능력을 평가하는 문제이다.
	● 도함수를 이용하여 접선의 방정식을 구하는 능력, 정적분의 활용하여 도형의 넓이를 구하는 능력 및 함수의 극한을 계산하는 능력을 평가한다.
	● 문제에서 주어진 확률변수를 이해하고, 확률의 덧셈정리와 곱셈정리를 활용하여 확률변수의 확률분포와 기댓값을 구하는 능력을 평가한다.
	● 주어진 조건을 만족하는 도형의 넓이를 식으로 표현하는 능력, 도함수를 활용하여 함수의 최대, 최소를 구하는 능력을 평가한다.

학년도	출제의도
2021학년도 모의 논술	● 함수와 그 역함수의 관계를 이해하고, 이를 바탕으로 역함수의 미분법, 접선의 방정식, 여러 가지 적분법 및 정적분을 활용하여 문제를 해결하는 능력을 평가한다.
	● 부채꼴의 넓이와 입체도형의 부피를 함수로 표현하고, 부피의 순간변화율과 삼각함수의 극한을 활용하여 도함수의 극한을 구하는 능력을 평가한다.
	● 문제에서 주어진 확률변수를 이해하고, 조건부확률의 개념과 확률의 곱셈정리를 활용하여 확률변수의 확률분포와 기댓값을 구하는 능력을 평가한다.
	● 함수의 그래프, 직선의 기울기와 사잇각의 관계를 이해하고, 삼각함수의 덧셈정리, 수열의 극한, 이항정리를 활용하여 문제를 해결하는 능력을 평가한다.

3. 기출 연도별 교과 관련 경향

학년도별 출제 여부 고등학교 교육과정 내용			2015 개정 교육과정										
교과목	영역	내용	24 수시	24 모의	23 수시 1	23 수시 2	23 모의	22 수시 1	22 수시 2	22 모의	21 수시 1	21 수시 2	21 모의
수학	다항식	다항식의 연산			○								
		나머지정리											
		인수분해									○		
	방정식과 부등식	복소수와 이차방정식											
		이차방정식과 이차함수				○						○	
		여러 가지 방정식											
		여러 가지 부등식											
	도형의 방정식	평면좌표											
		직선의 방정식											
		원의 방정식	○	○		○			○				
		도형의 이동											
	집합과 명제	집합											
		명제											
		명제의 증명, 절대부등식											
	함수	함수		○									
		합성함수와 역함수		○							○		○
		유리식과 유리함수											
		무리식과 무리함수											
	경우의 수	경우의 수	○										
		순열											
		조합	○	○									

학년도별 출제 여부 고등학교 교육과정 내용			2015 개정 교육과정										
교과목	영역	내용	24 수시	24 모의	23 수시 1	23 수시 2	23 모의	22 수시 1	22 수시 2	22 모의	21 수시 1	21 수시 2	21 모의
수학 Ⅰ	지수함수와 로그함수	지수											
		로그											
		지수함수											
		로그함수											
	삼각함수	삼각함수			○	○	○	○	○		○	○	○
		삼각함수 그래프			○			○					
		사인법칙과 코사인법칙								○			
		삼각형에서 활용											
	수열	등차수열											
		등비수열											
		수열의 합			○								
		수학적 귀납법											
수학 Ⅱ	함수의 극한과 연속	함수의 극한				○		○		○		○	
		함수의 연속	○				○	○	○		○		
	미분	미분계수		○			○	◎		○			
		도함수								○	○		○
		접선의 방정식과 평균값정리											
		함수의 극대, 극소와 그래프											
		도함수의 활용 (함수의 최대최소 방정식부등식활용 속도와가속도)	◎			○	◎		◎		◎	◎	
	적분	부정적분					○						
		정적분										○	
		정적분의 활용 (곡선과 좌표 사이 넓이, 두 곡선사이의 넓이, 속도와 거리)					◎	◎			○	○	

학년도별 출제 여부 고등학교 교육과정 내용			2015 개정 교육과정										
교과목	영역	내용	24 수시	24 모의	23 수시 1	23 수시 2	23 모의	22 수시 1	22 수시 2	22 모의	21 수시 1	21 수시 2	21 모의
미적분	수열의 극한	수열의 극한											○
		등비수열의 극한											
		급수						○					
		등비급수											
	여러 가지 함수의 미분법	지수함수, 로그함수의 도함수							○				
		사인함수, 코사인함수의 도함수							○		○		
	미분법	여러 가지 미분법	○	○	◎	○	◎	◎	○		○		◎
		도함수의 활용 (접선의방정식, 함수의 그래프, 방정식, 부등식활용, 속도와 가속도)							○				○
	적분법	여러 가지 적분법 (부정적분, 치환적분, 부분적분, 정적분)	○	○	○			◎	◎	○	○		○
		정적분의 활용 (정적분과 급수의 관계, 넓이, 부피, 속도와 거리)			○	◎			○				○

III. 논술이란?

1. 논술이란?

1) 논술이란?

어떤 문제에 대해 자기 나름의 주장이나 견해를 내세운 다음, 여러 가지 근거를 제시하여 그 주장이나 견해가 옳음을 증명하는 글쓰기 활동을 말한다. 따라서 논술의 가장 기본적인 요소는 주장과 근거이다. 다시 말해 어떤 주제에 관해서 자신의 견해를 밝히고 자기 의견을 내세우는 글이 바로 논술이다. 때문에 논술은 특별히 논리적이어야 한다는 요구를 받게 된다. 왜냐하면 여러 가지 의견이 있을 수 있는 문제에 대해 자신의 의견을 세워 다른 사람을 설득하려면, 그 주장이 충분한 근거 위에서 논리적으로 개진될 때만 가능하기 때문이다.

2) 대한민국 논술고사는?

한국에서의 대학 입시 논술고사는 실제 교과 과정과 교과서가 기본이 되어 응용된 사고와 풀이 능력과 지식을 바탕으로 한다. 논술고사는 일반적을 비판적으로 글을 읽는 능력과 창의적으로 문제를 설정하고 해결하는 능력 그리고 논리적으로 서술하는 능력을 종합적으로 평가하는 시험이다. 비판적으로 글을 읽는다는 것은 능동적으로 자신의 관점에서 글을 읽는 것을 말하며, 창의적으로 문제를 설정하고 해결하는 능력이란 심층적이고 다각적으로 논제에 접근함으로써 독창적인 사고와 풀이를 이끌어낼 수 있는 능력을 말한다. 그리고 논리적 서술 능력은 글 구성 능력, 근거 설정 능력, 표현 능력 등을 포괄한다.

3) 자연계 논술? 그리고 그 변화

모든 글은 일반적으로 3가지 종류로 나뉘어진다. 시, 소설 등 문학 작품과 같은 글쓰기인 창작적 글쓰기(creative writing)와 설명문이나 해설문의 글쓰기는 해명적 글쓰기(expository writing), 그리고 논설문의 글쓰기인 비판적 글쓰기(critical writing)가 있다. 이 글쓰기 중 대한민국의 대학입시에서 시행되고 있는 자연계 논술은 창작적 글쓰기는 포함되지 않는다. 새로운 문학 작품을 쓰는게 아니라 제시문을 읽고 내용을 구체화시켜 잘 설명하는 설명문의 형태가 있고, 주어진 문제에 대해 생각하고 깊이있는 주장을 피력하는 비판적 글쓰기도 있다.

2. 논술의 기본 용어

1) 논제 : 논술의 문제를 의미한다.
반드시 해결하고 접근하여야 할 논술 시험의 대상이다.
  (ㄱ) 중심 논제 : 채점할 때 가장 배점이 높으며, 핵심적으로 해결해야 할 논술의 문제
  (ㄴ) 세부 논제 : 큰 논제 속에 포함된 작은 문제, 각 단계별 채점의 기준이 되며 세부 채점 항목으로 필수 해결 항목이다.
2) 논거 : 논술에서 설명하고 주장하는 논리적인 근거 혹은 이유

3) 주장 : 수험생이 생각하고 채점자에게 알리고 싶은 생각
4) 제시문 : 보기 지문을 말한다.
   (ㄱ)   출제자가 논제 해결을 위해 보여주는 다양한 글
   (ㄴ)   각종 그래프, 도표, 그림 등
        자료가 정해져 있지는 않다. 하지만 고등학교 교과서를 가장 많이 인용하고, 고등학교 교과 과정으로 분석하고 판단할 수 있는 내용을 제시한다.
5) 개요 : 논제에 맞게 더 구체적으로는 세부 논제에 맞게 글의 진행 방향을 간략하게 정리하는 과정이다.

4. 논술의 명령어

논술고사 후 대학의 발표 자료를 보면 논술은 출제자의 의도에 부합하게 글을 써야 한다고 강조한다. 그런데 출제자의 의도를 파악하는 것은 자칫 상당히 모호하고 주관적인 것으로 판단하기 쉽다.
 하지만 자연계 논술에서는 명령어가 한정되어 있다. 그 명령어들을 잘 익히고 의미를 파악한다면 훨씬 논술의 이해가 높아질 것이다. 또한 대학의 채점 기준에는 명령어의 요구 조건을 충족하는지를 평가한다. 그러므로 자연계 논술의 명령어는 수험생에게는 아주 기초적이지만 필수적이며 절대 잊지 말아야 할 중요한 핵심이다.

1) ~ 에 대해 논술하시오.
   ; 주장을 밝히고 근거를 제시한다.

2) ~ 에 대해 설명하시오.
   : 사실, 주장 등을 쉽게 풀어서 밝힌다.

> ● ~ 제시문 간의 관련성을 설명하시오.
> ● ~ 제시문의 논리적 타당성과 문제점을 설명하시오.
> ● ~ 제시문을 참고하여 주어진 자료의 특징을 설명하시오.
> ● ~ 제시문의 관점에서 왜 그런 현상이 생기는지 그 이유를 설명하시오.

3) ~ 의 비교하시오. 혹은 대조하시오.
   : 공통점과 차이점을 중심으로 설명한다.

> ● ~ 공통점과 차이점을 설명하시오.

4) ~ 을 분석하시오.
   : 주제를 구성요소로 나누고 각 부분의 의미와 상호관계를 밝힌다.

5) ~ 제시문과 주어진 자료를 참고하여 현상을 예측해 보시오.
   : 주어진 자료를 해석하고 자료로부터 얻을 수 있는 시간에 따른 변화나 자료의 발생 이유를 살핀다.

6) ~ 제시문의 문제점을 지적하고 그 문제점을 해결할 방법을 제시하시오.
   : 보통은 수학이나 과학의 역사에서 발생했던 여러 오류나 실험과정에서 나타난

문제점을 가지고 있다. 또한 이론이나 실험, 학생의 실험보고서 등과 같이 확실한 오류가 있는 제시문을 주기도 한다. 분명히 문제점을 파악하여 답안에 서술하고 문제점이나 해결할 수 있는 방법 등을 명확히 하여야 한다.

● ~ 제시문의 관점에서 왜 그런 현상이 생기는지 그 원리를 설명하고 그런 현상을 예방할 수 있는 방안을 제시하시오.

● ~ 문제점을 지적하고 합리적 대안을 제안해 보시오.

● ~ 주어진 관점을 검증할 수 있는 방법을 논하시오.

● ~ 주어진 문제점을 해결할 수 있는 실험을 설계해 보시오.

---

7) 제시문의 관점에서 주장을 비판하시오.

: 어떤 주장의 타당성이나 가치 등을 평가한다.

5. 자연계 논술 글쓰기 유의사항

① 논제의 해결이 핵심이다. 출제자가 원하는 답을 써야 한다.

② 논제에 부합하는 글을 일관성 있게 써야 한다.

③ 한편의 글을 완성하여야 한다. 나열하거나 사례를 보여주는 것은 의미가 없다.

④ 제시문을 활용, 인용하는 것과 제시문을 그대로 옮겨 쓰는 것은 다르다. 적절하게 제시문의 내용을 사용하여 논제를 해결하여야 한다. 절대 제시문의 문장을 그대로 쓰면 안 된다. 금기사항이고 감점요인이다.

⑤ 부적절한 문장 즉, 비문을 만들지 말아야 한다. 주어와 서술어가 적절하게 있어 문장의 의미를 명확히 전달하여야 한다. 주어를 생략하거나 지시어를 과도하게 사용하면 문장의 의미가 모호해 진다.

⑥ 문장은 짧고 간결하게 써야 한다. 자신의 의견을 명확히 간결하고 효과적으로 밝혀야 한다.

6. 논술 확인 사항

1. 답안지는 지급된 흑색 볼펜으로 원고지 사용법에 따라 작성하여야 합니다.
(수정액 및 수정테이프 사용 금지)

2. 수험번호와 생년월일을 숫자로 쓰고 컴퓨터용 사인펜으로 ● 표기하여야 합니다.

3. 답안의 작성 영역을 벗어나지 않도록 각별히 유의 바라며, 인적사항 및 답안과
. 관계없는 표기를 하는 경우 결격 처리 될 수 있습니다.

4. 제시된 작성 분량 미 준수 시 감점 처리됨을 유의 바랍니다.

IV. 자연계 논술 실전

1. 각 대학별 논술 유의사항을 파악하라!

많은 대학에서 글자수 제한을 확인하여야 한다. 그래서 원고지 형이 많지만, 문항별 칸을 만들거나 밑줄 답안 형식도 있다. 논술 시험 시간은 각 대학별로 다양하다. 60분 즉, 한 시간을 시작으로 많게는 2시간까지 (120분)까지 다양하게 있다. 대학별로 준비해야 하는 중요한 이유이다. 답안을 작성하는 필기구도 다양하다. 연필(샤프펜)의 사용이 꾸준히 증가하지만 아직까지 검정색 볼펜이나 청색 볼펜으로 사용하는 학교도 많다. 주의할 것은 수정법이다. 수정은 학교에 따라 수정액, 수정테이프의 사용을 제한하는 경우도 있고 틀리면 두줄을 긋고 써야 하는 곳도 있다. 그러므로 각 대학별 특징을 파악하고, 미리 답안 작성 연습은 물론이고 작성할 때도 대학별로 금지하는 내용을 숙지하고 시험장에 가야 한다.

각 대학별 유의사항 사례

사례 1)

가. 답안은 한글로 작성하되, 글자수 제한은 없다.

나. 제목은 쓰지 말고 특별한 표시를 하지 말아야 한다.

다. 제시문 속의 문장을 그대로 쓰지 말아야 한다.

라. 반드시 본 대학교에서 지급한 필기구를 사용하여야 한다.

마. 수정할 부분이 있는 경우 수정도구를 사용하지 말고 원고지 교정법에 의하여 교정하여야 한다.

바. 본 대학교에서 지급한 필기구를 사용하지 않거나, 수정도구를 사용한 경우, 답안지에 특별한 표시를 한 경우, 또는 원고지의 일정분량 이상을 작성하지 않은 경우에는 감점 또는 0점 처리한다.

사례 2)

Ⅰ. 필요한 경우 한 개 또는 여러 개의 제시문을 선택하여 논의를 전개하고, 사용한 제시문은 꼭 참고문헌 형태로 표시하시오.

　　예) …[제시문 1-4].

　　예) …되며[제시문 2-4], …의 경우는 ~을 보여준다[제시문 2-1].

Ⅱ. [문제 1]부터 [문제 4]까지 문제 번호를 쓰고 순서대로 답하시오.

Ⅲ. 연필을 사용하지 말고, 흑색이나 청색 필기구를 사용하시오.

Ⅳ. 인적사항과 관련된 표현을 일절 쓰지 마시오.

Ⅴ. 문제당 배점은 동일함.

사례 3)

◇ 각 문제의 답안은 배부된 OMR 답안지에 표시된 문제지 번호에 맞춰 작성하시오.

◇ 각 문제마다 정해진 글자수(분량)는 띄어쓰기를 포함한 것이며, 정해진 분량에 미달하

거나 초과하면 감점 요인이 됩니다.
◇ 답안지의 수험번호는 반드시 컴퓨터용 수성 사인펜으로 표기하시오.
◇ 답안은 검정색 필기구로 작성하시오. (연필 사용 가능)
◇ 답안 수정시 원고지 교정법을 활용하시오. (수정 테이프 또는 연필지우개 사용 가능)
◇ 답안 내용 및 답안지 여백에는 성명, 수험번호 등 개인 신상과 관련된 어떤 내용, 불필요한 기표하면 감점 처리됩니다.

사례 4)
◆ 답안 작성 시 유의사항 ◆
□ 논술고사 시간은 90분이며, 답안의 자수 제한은 없습니다.
□ 1번 문항의 답은 답안지 1면에 작성해야 하고, 2번 문항의 답은 답안지 2면에 작성해야 합니다. 1, 2번을 바꾸어 작성하는 경우 모두 '0점 처리'됩니다.
□ 연습지는 별도로 제공하지 않습니다. 필요한 경우 문제지의 여백을 이용하시기 바랍니다.
□ 답안은 검정색 또는 파란색 펜으로만 작성하며 연필, 샤프는 사용할 수 없습니다.
□ 답안 수정은 수정할 부분에 두 줄로 긋거나 수정테이프(수정액은 사용 불가)를 사용해서 수정합니다.
□ 답안지에는 답 이외에 아무 표시도 해서는 안 됩니다.
□ 답안지 교체는 고사 시작 후 70분까지 가능하며, 그 이후는 교체가 불가합니다.

2. 제시문에 먼저 눈을 두지 말고 문제를 파악하라!!!

대학별 고사인 논술의 어려운 점은 시간의 제한이 있는 글쓰기 시험이라는 것이다. 자유롭게 잘 쓸 수 있는 내용일지라도 시간의 제한이 있으면 얘기가 달라진다. 특히 지금과 같이 각 대학별로 다양하게 등장하는 시험에 익숙하지 않은 수험생에게는 더 큰 부담으로 작용을 한다.

대학에서는 다양하게 제시문과 문제를 분포시킨다. 문제를 등장시키고 제시문이 등장하는 경우, 그림과 도표, 그래프 등과 같이 자료를 제시하고 제시문과 문제를 함께 등장시키는 경우, 제시문을 많이 등장시키고 마지막에 문제를 제시하는 경우 등... 이렇듯 다양한 문제에 시간의 적절한 활용은 대학별 고사의 실전에서는 당락을 결정하는 중요 요소이다.

이러한 실전적 논술에서 핵심은 바로 목적을 가지고 제시문의 읽기가 선행되어야 한다. 글 읽기의 핵심은 문제을 통해 논제를 구체적으로 파악하고 그 논제에 부합하게 제시문을 분석하는 것이다.

① 문제를 먼저 확인하라!! - 제시문을 읽고 문제를 보면 다시 긴 제시문을 또 읽어 시간을 낭비한다.
② 세부 논제 확인하라!! - 한 문제라도 그 문제 속에 다루는 논제는 여러 개가 될 수 있

다. 그 질문 내용을 파악하라. 그리고 요구한 논제에 맞게 글을 구성한다.
 ③ 전제적 요건 파악하라!! - 각 문제의 전제적 요건 및 글로 표현된 부연 설명 등이 중요한 키워드가 될 수 있다.

Ⅴ. 숭실대학교 기출

1. 2024학년도 숭실대 수시 논술

【문제 1】 다음 제시문을 읽고 아래 논제에 답하시오. (25점)

> 닫힌구간 $[a, b]$에서 연속인 함수 $f(x)$에 대하여 미분가능한 함수 $x = g(t)$의 도함수 $g'(t)$가 $a = g(\alpha)$, $b = g(\beta)$일 때, α와 β를 포함하는 구간에서 연속이면
>
> $$\int_a^b f(x)dx = \int_\alpha^\beta f(g(t))g'(t)dt$$
>
> [출처 : 미적분 「적분법」]

$0 < t < 1$에 대하여 $(-1, 0)$과 $(t, 0)$을 지름의 양 끝 점으로 하는 원과, $(t, 0)$과 $(1, 0)$을 지름의 양 끝 점으로 하는 원이 있다. 이 두 원에 동시에 접하고 기울기가 음수인 접선을 ℓ이라고 하자.

이때 다음 문항에 답하시오.

(1) 직선 ℓ의 방정식을 구하시오.

(2) 직선 ℓ의 y절편을 $f(t)$라고 할 때, $\displaystyle\int_{\frac{1}{2}}^{\frac{\sqrt{2}}{2}} f(t)dt$를 구하시오.

【문제 2】 다음 제시문을 읽고 아래 논제에 답하시오. (25점)

> 미분가능한 함수 $f(x)$의 역함수 $f^{-1}(x)$가 존재하고 미분가능할 때, 역함수 $y = f^{-1}(x)$의 도함수는
>
> $$\frac{dy}{dx} = \frac{1}{\dfrac{dx}{dy}} \quad \text{또는} \quad (f^{-1})'(x) = \frac{1}{f'(f^{-1}(x))}$$
>
> [출처 : 미적분 「여러 가지 미분법」]

정의역이 $\{x | x \geq 0\}$인 두 함수 $f(x)$와 $g(x)$가 아래와 같이 주어져 있다.

$$f(x) = 1 - |x - 2n - 1| \quad (2n \leq x < 2n+2, \ n = 0, \ 1, \ 2, \ 3, \ \cdots)$$

$$g(x) = x^2 + kx + 1 \qquad (\text{단}, \ k > 1)$$

함수 $h(x)$가 함수 $g(x)$의 역함수이고 $u(x) = h(x) - f(x)$(단, $x \geq 1$) 일 때, 다음 문항에 답하시오.

(1) 양의 정수 n에 대하여 $2n \leq x \leq 2n+2$일 때 함수 $u(x)$의 증가와 감소를 조사하시오.

(2) 함수 $u(x)$의 그래프와 x축이 1001개의 서로 다른 점에서 만나도록 하는 실수 k의 값의 범위를 구하시오.

【문제 3】 다음 제시문을 읽고 아래 논제에 답하시오. (25점)

함수 $f(x)$가 실수 a에 대하여 다음 세 조건을 모두 만족시킬 때, $f(x)$는 $x=a$에서 연속이라고 한다.

(i) 함수 $f(x)$가 $x=a$에서 정의되어 있다.

(ii) 극한값 $\lim\limits_{x \to a} f(x)$가 존재한다.

(iii) $\lim\limits_{x \to a} f(x) = f(a)$

[출처 : 수학 II 「함수의 연속」]

함수 $f(x)$와 $g(x)$가 아래와 같이 주어져 있다.

$$f(x) = \begin{cases} 1-x^2 & (x \le 0) \\ 1-ax^2 & (x > 0) \end{cases} \ (단, \ a는상수), \quad g(x) = \begin{cases} -x+\dfrac{1}{2} & (x \le 0) \\ -x-\dfrac{1}{4} & (x > 0) \end{cases}$$

합성함수 $f(g(x))$는 연속이라고 하자.

이때 한 변이 x축 위에 있고, 함수 $f(x)$의 그래프와 x축으로 둘러싸인 도형에 내접하는 직사각형의 넓이의 최댓값을 구하시오.

【문제 4】 다음 제시문을 읽고 아래 논제에 답하시오. (25점)

> - 서로 다른 n개에서 $r(0 \le r \le n)$개를 택하는 순열의 수는
> $$_n\mathrm{P}_r = n(n-1)(n-2)\cdots(n-r+1) = \frac{n!}{(n-r)!}$$
> - 서로 다른 n개에서 $r(0 \le r \le n)$개를 택하는 조합의 수는
> $$_n\mathrm{C}_r = \frac{_n\mathrm{P}_r}{r!} = \frac{n!}{r!(n-r)!}$$
>
> [출처 : 수학 「경우의 수」]

다음 조건을 만족시키는 함수 f의 개수를 세려고 한다.

> $$f : \{1,\ 2,\ 3,\ 4,\ 5,\ 6\} \rightarrow \{1,\ 2,\ 3,\ 4,\ 5,\ 6\},\quad f \circ f \text{는 항등함수}$$

이를 위하여 학생 A는 다음과 같은 방법을 제시하였다.

    (가) $f(a)=b$이면 $f(b)=a$여야 한다.

    (나) 그러므로 $\{1,\ 2,\ 3,\ 4,\ 5,\ 6\}$의 모든 원소를 두 개씩 세 쌍으로 나누는 경우의 수를 구하면 된다.

    (다) 따라서 조건을 만족시키는 함수 f의 개수는 $_6\mathrm{C}_2 \times {}_4\mathrm{C}_2 \times {}_2\mathrm{C}_2 = 15 \times 6 \times 1 = 90$개 이다.

이때 다음 문항에 답하시오.

(1) 학생 A의 방법에서 잘못된 점을 모두 찾아서 설명하시오.

(2) 위의 조건을 만족시키는 함수 f의 개수를 구하시오.

문항【1】 반드시 해당 문항의 답을 작성해야 함

이 줄 아래에 답안을 작성하거나 낙서할 경우 판독이 불가능하여 채점 불가

문항 【2】 반드시 해당 문항의 답을 작성해야 함

이 줄 아래에 답안을 작성하거나 낙서할 경우 판독이 불가능하여 채점 불가

문항【3】 반드시 해당 문항의 답을 작성해야 함

이 줄 아래에 답안을 작성하거나 낙서할 경우 판독이 불가능하여 채점 불가

문항 【4】 반드시 해당 문항의 답을 작성해야 함

이 줄 아래에 답안을 작성하거나 낙서할 경우 판독이 불가능하여 채점 불가

2. 2024학년도 숭실대 모의 논술

[문제 1] 아래 제시문을 읽고 다음 논제에 답하시오. (25점)

> 원 $x^2 + y^2 = r^2$ 위의 점 $P(x_1, y_1)$에서의 접선의 방정식은
> $$x_1 x + y_1 y = r^2$$
> [출처 : 수학 「원과 접선의 방정식」]

원 $x^2 + y^2 = 1$의 접선 중에서, 기울기가 $\sqrt{3}$ 이고 y절편이 양수인 접선을 ℓ이라고 하고 기울기와 y절편이 모두 음수인 접선을 m이라고 하자. 직선 ℓ, 직선 m, 직선 $y = -1$ 및 직선 $x = 1$로 둘러싸인 사각형의 면적이 최소가 되도록 하는 직선 m의 방정식을 구하시오.

[문제 2] 아래 제시문을 읽고 다음 논제에 답하시오. (25점)

미분가능한 함수 $f(x)$의 도함수는
$$f'(x) = \lim_{h \to 0} \frac{f(x+h)-f(x)}{h}$$

[출처 : 수학Ⅱ「미분가능성과 연속성」]

함수 $f(x) = \begin{cases} \cos bx & (0 \le x \le 1) \\ cx+d & (x > 1) \end{cases}$ 는 $x > 0$에서 미분가능하다. (단, $b > 0$)

방정식 $f(x) = 0$의 서로 다른 양의 실수해의 개수가 11개일 때, 다음 문항에 답하시오.

(2-1) b의 범위를 구하시오.

(2-2) d의 최댓값을 구하시오.

[문제 3] 아래 제시문을 읽고 다음 논제에 답하시오. (25점)

함수 $f : X \to Y$가 일대일대응일 때 역함수 $f^{-1} : Y \to X$가 존재한다.

[출처 : 수학「역함수」]

실수 b에 대하여 $x > 0$에서 정의된 함수 $f(x) = -2x^2 + bx + 2\ln 2 - \ln x$의 역함수가 존재할 때 $\int_1^2 f(x)dx$의 최댓값을 구하시오.

[문제 4] 아래 논제에 답하시오. (25점)

숭실대학교 축구부 감독은 30명의 스포츠학부 학생 중에서 11명의 선수를 선발하고, 이 중에서 역할이 동등한 두 명의 리더를 지명하기로 하였다. 이렇게 팀을 구성하는 경우의 수를 감독은 다음과 같이 생각하였다.

  감독: 30명의 학생 중에서 11명의 선수를 먼저 선발하고 이 중에서 리더 2명을 지명한다.

  이때 경우의 수는 $A = {}_{30}C_{11} \times {}_{11}C_2$ 이다.

반면 학생들은 팀을 구성하는 다른 방법을 제시하고, 그 때의 경우의 수를 올바르게 계산하였다.

---

(1) 방법1: 감독이 리더 2명을 먼저 지명하고, 두 리더가 상의하여 나머지 9명의 선수를 선발한다.

이때 경우의 수는 $P = {}_{30}C_2 \times {}_{28}C_9$ 이다.

(2) 방법2: 감독이 리더 1명을 먼저 지명하고, 이 리더가 나머지 10명의 선수를 선발한 뒤 이 중에서 리더 1명을 마저 지명한다.

이때 경우의 수는 $Q = {}_{30}C_1 \times {}_{29}C_{10} \times {}_{10}C_1$ 이다.

(3) 방법3: 감독이 선수 5명을 먼저 선발하고 선발된 선수 중에서 리더 2명을 지명한 뒤, 두 리더가 상의 하여 나머지 6명의 선수를 선발한다.

이때 경우의 수는 $R = {}_{30}C_5 \times {}_5C_2 \times {}_{25}C_6$ 이다.

이때 아래 식에서 괄호에 들어가는 값이 1이 아니라면 (즉, 감독의 경우의 수와 각 방법의 경우의 수가 다르다면) 그 이유를 논하고, 괄호에 들어가야 할 값을 ${}_nC_r$ 혹은 ${}_nP_r$ 의 형태로 나타내시오.

$$A \times (\qquad) = P$$
$$A \times (\qquad) = Q$$
$$A \times (\qquad) = R$$

문항 【1】 반드시 해당 문항의 답을 작성해야 함

이 줄 아래에 답안을 작성하거나 낙서할 경우 판독이 불가능하여 채점 불가

이 줄 아래에 답안을 작성하거나 낙서할 경우 판독이 불가능하여 채점 불가

문항 【3】 반드시 해당 문항의 답을 작성해야 함

이 줄 아래에 답안을 작성하거나 낙서할 경우 판독이 불가능하여 채점 불가

44

문항 【4】 반드시 해당 문항의 답을 작성해야 함

이 줄 아래에 답안을 작성하거나 낙서할 경우 판독이 불가능하여 채점 불가

3. 2023학년도 숭실대 수시 논술 (자연 1)

[문제 1] 아래 논제에 답하시오. (25점)

다음 네 조건을 만족시키는 함수 (x)의 개수를 구하고, 그 함수를 모두 찾으시오.

(i) $f(x) = x^3 + ax^2 + bx + c$ (단, a, b, c는 실수)

(ii) 곡선 $y = f(x)$와 x축은 서로 다른 세 점 $A(2-\sqrt{5},\ 0)$, $B(2+\sqrt{5},\ 0)$, $C(\gamma,\ 0)$에서 만난다.

(iii) 곡선 $y = f(x)$의 변곡점 P의 x좌표는 양의 정수이다.

(iv) 원점 O에 대하여 삼각형 OPB와 삼각형 OPC는 모두 예각삼각형이다. (단, 예각삼각형은 모든 각의 크기가 $\frac{\pi}{2}$보다 작은 삼각형이다.)

[문제 2] 아래 논제에 답하시오. (25점)

좌표평면 위의 점 P가 다음 조건을 모두 만족시키며 움직인다고 하자.

(ⅰ) 시각 $t=0$에서의 점 P의 위치는 $(0,\ h)$이며 $0 \le h \le 1$이다.

(ⅱ) 점 P는 시각 t에서 속력 $v(t)=t$로 x축과 평행한 직선 위를 움직이다가 곡선 $y=\sqrt{-x^2+2x}$ $(1 \le x \le 2)$를 만나면 곡선을 따라 일정한 속력 $\sqrt{3}$으로 움직인다.

(ⅲ) 시각 t에서의 점 P의 x좌표 $x(t)$는 $t_1 < t_2$일 때 $x(t_1) < x(t_2)$이다.

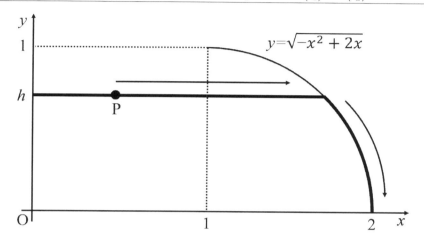

점 P가 점 $(0,\ h)$에서 점 $(2,\ 0)$까지 이동하는데 걸리는 시간이 최대가 되도록 하는 h를 구하시오.

[문제 3] 아래 논제에 답하시오. (25점)

혜성과 혜성을 관측하기 위한 우주선의 위치를 좌표평면 위에서 나타낼 수 있다고 하자.

시각 t에서의 혜성의 위치 (x, y)가 $x = 2\sqrt{2}\,t - 4\sqrt{2}$, $y = t^2 - 2t + 3$으로 주어져 있다. 우주선은 직선 $\ell : y = \sqrt{2}\,x - 1$ 위를 움직이며, 시각 t에서의 우주선의 속도는 $(\sqrt{2}, 2)$로 주어진다고 하자. 직선 ℓ과 혜성이 움직이는 곡선은 서로 만나지 않는다.

이때 다음 문항에 답하시오. (단, 혜성과 우주선의 크기는 무시한다.)

(1) 시각 $t = 0$에서의 우주선의 위치가 $(-2\sqrt{2}, -5)$라고 하자. 이때 혜성과 우주선 사이의 거리가 최소가 되는 시각 t와, 그 때의 혜성과 우주선 사이의 거리를 구하시오.

(2) 이번에는 시각 $t = 0$에서의 우주선의 위치를 직선 ℓ 위에서 조정하여 혜성을 더 가까운 거리에서 관측하려고 한다.
혜성과 우주선이 가장 가까워질 수 있도록 하는 시각 $t = 0$에서의 우주선의 위치와, 이때 혜성과 우주선이 가장 가까워지는 시각 t를 구하시오.

[문제 4] 아래 논제에 답하시오. (25점)

함수 $g(x)$는 $x \leq 0$에서 정의된 연속함수이며, 일반항이 $a_n = n(n-1)$인 수열 $\{a_n\}$과 $S_n = \sum_{i=1}^{n} a_i$에 대하여 함수 $f(x)$가 다음 조건을 모두 만족시키는 연속함수라고 하자.

(i) $x \leq 0$일 때 $f(x) = g(x)$

(ii) 1보다 크거나 같은 정수 n에 대하여 $n-1 \leq x < n$일 때
$$f(x) = g\left(-S_n + (n-1-x)a_{n+1}\right)$$

(iii) 2보다 크거나 같은 정수 n에 대하여 $\int_0^{a_n} f(x-S_n)dx = 1$

이때 다음 문항에 답하시오.

(1) 2보다 크거나 같은 정수 n에 대하여 정적분 $\displaystyle\int_{-S_{n-1}}^{-S_n} g(x)dx$의 값을 구하시오.

(2) 정적분 $\displaystyle\int_0^{2023} f(x)dx$의 값을 구하시오.

문항【1】 반드시 해당 문항의 답을 작성해야 함

이 줄 아래에 답안을 작성하거나 낙서할 경우 판독이 불가능하여 채점 불가

이 줄 아래에 답안을 작성하거나 낙서할 경우 판독이 불가능하여 채점 불가

문항 【3】 반드시 해당 문항의 답을 작성해야 함

문항 【4】 반드시 해당 문항의 답을 작성해야 함

이 줄 아래에 답안을 작성하거나 낙서할 경우 판독이 불가능하여 채점 불가

4. 2023학년도 숭실대 수시 논술 (자연 2)

[문제 1] 아래 논제에 답하시오. (20점)

다음 조건을 모두 만족시키는 삼각형의 넓이의 최댓값을 구하시오.

(i) 실수 m에 대하여 두 직선 $x+2my=0$과 $2mx-y-2m=0$의 교점을 P_m이라고 할 때, 서로 다른 세 실수 m_1, m_2, m_3에 대하여 P_{m_1}, P_{m_2}, P_{m_3}을 꼭짓점으로 갖는다.

(ii) 한 각의 크기는 $\dfrac{\pi}{6}$이다.

[문제 2] 아래 논제에 답하시오. (30점)

실수 k에 대하여 방정식 $\dfrac{|2x|}{x^2+1}=k$의 서로 다른 실수해의 개수를 $f(k)$라고 하자.

이때 다음 문항에 답하시오.

(1) 함수 $f(k)$의 그래프를 그리시오.

(2) 다음 조건을 모두 만족시키는 함수 $g(x)$에 대하여 항상 $g(0)>c$가 되도록 하는 실수 c 중 가장 큰 값을 구하시오.

(i) 함수 $g(x)$는 최고차항의 계수가 1인 사차함수이다.

(ii) 모든 정수 n에 대하여 $g(n) \geq 0$이다.

(iii) 합성함수 $g \circ f$는 실수 전체에서 연속이다.

(iv) 함수 $h(x)=[x]$에 대하여 합성함수 $f \circ g \circ h$는 실수 전체에서 연속이다. (단, 실수 x에 대하여 $[x]$는 x보다 크지 않은 정수 중 가장 큰 정수이다.)

[문제 3] 아래 논제에 답하시오. (25점)

오른쪽 그림과 같이 높이가 12인 용기가 있다. 이 용기를 밑면에 평행한 평면으로 자른 단면은 원이며, 밑면으로부터 높이가 x인 지점에서 단면의 반지름 $R(x)$는 다음과 같이 주어져 있다.

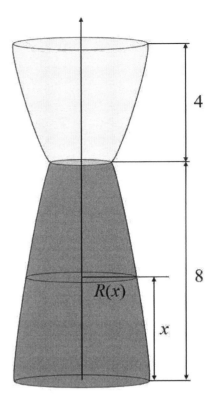

$$R(x) = \begin{cases} \sqrt{\dfrac{8-x}{2}+1} & (0 \le x \le 8) \\ \sqrt{x-7} & (8 \le x \le 12) \end{cases}$$

용기의 높이가 $0 \le x \le 8$인 부분과 $8 \le x \le 12$인 부분에는 각각 물과 기름이 가득 차 있다.

이제 용기의 바닥, 즉 높이 $x=0$인 부분에 구멍을 뚫어 천천히 물을 용기 밖으로 내보낸다고 하자. 물을 내보냄에 따라 기름층도 아래로 이동하면서 기름층의 두께가 변하게 된다.

(단, 기름층의 두께는 기름층의 윗면의 높이와 아랫면의 높이의 차이를 의미한다. 기름과 물은 항상 위와 아래로 분리되어 층을 이루며 기름층의 윗면과 아랫면은 항상 밑면과 평행하다고 가정하자.)

이때 기름층 두께의 최댓값을 구하시오.

[문제 4] 아래 논제에 답하시오. (25점)

좌표평면에서 점 P가 다음 조건을 만족시키며 움직인다고 하자.

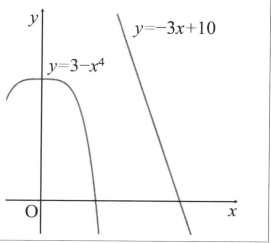

점 P는 원점 O를 출발하여 함수 $y = 3 - x^4$ 의 그래프의 한 점 Q까지 선분 OQ를 따라 일정한 속력 a로 움직인 후,

직선 $\ell : y = -3x + 10$의 한 점 R까지 선분 QR를 따라 속력 1로 움직인다. (단, a는 양수)

점 P가 직선 ℓ 위의 한 점 R까지 가장 빨리 도착할 때 점 Q의 좌표는 $(1, 2)$라고 하자. 이때 다음 문항에 답하시오.

(1) $\theta = \angle OQR$일 때 $\tan\theta$의 값을 구하시오. (단, $0 \le \theta \le \pi$)

(2) a를 구하시오.

문항 【1】 반드시 해당 문항의 답을 작성해야 함

이 줄 아래에 답안을 작성하거나 낙서할 경우 판독이 불가능하여 채점 불가

문항 【2】 반드시 해당 문항의 답을 작성해야 함

어 줄 아래에 답안을 작성하거나 낙서할 경우 판독이 불가능하여 채점 불가

문항 【3】 반드시 해당 문항의 답을 작성해야 함

이 줄 아래에 답안을 작성하거나 낙서할 경우 판독이 불가능하여 채점 불가

문항【4】 반드시 해당 문항의 답을 작성해야 함

이 줄 아래에 답안을 작성하거나 낙서할 경우 판독이 불가능하여 채점 불가

5. 2023학년도 숭실대 모의 논술

[문제 1] 다음 제시문을 읽고 아래 논제에 답하시오. (25점)

원 C와 원 C′이 다음 조건을 만족시킨다. (그림 1참조)

(i) 원 C는 반직선 OX 및 반직선 OP와 접하고 있으며, 반직선 OX 위에서 접하는 점 A에 대하여 $\overline{OA}=1$이다.

(ii) 원 C′은 반직선 OX 및 반직선 OP와 접하고 있으며, 원 C와 한 점에서 만난다.

(iii) 원 C′의 반지름은 원 C의 반지름보다 작다.

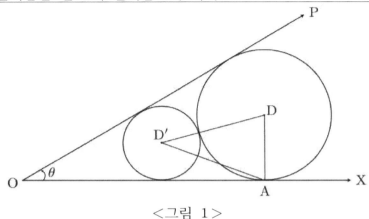

<그림 1>

두 반직선 OX와 OP가 이루는 ∠XOP의 크기를 θ라고 하자. (단, $0 < \theta < \pi$)

원 C와 원 C′의 중심을 각각 D, D′이라고 하고 삼각형 D′AD의 넓이를 $S(\theta)$라고 할 때, $\lim\limits_{\theta \to 0+} \dfrac{S(\theta)}{\theta^2}$의 값을 구하시오.

[문제 2] 다음 제시문을 읽고 아래 논제에 답하시오. **(25점)**

> 함수 $f(x)$의 $x=a$에서의 미분계수 $f'(a)$는 곡선 $y=f(x)$ 위의 점 $(a, f(a))$에서의 접선의 기울기와 같다.
>
> [출처 : 수학 I 「미분계수와 도함수」]

구간 $(0, \infty)$에서 미분가능한 함수 $f(x)$가 다음과 같이 정의되어 있다. (단, a, b, c, d는 실수이고 $a \neq 0$)

$$f(x) = \begin{cases} x^2 - 1 & (0 < x < 2) \\ ax^3 + bx^2 + cx + d & (x \geq 2) \end{cases}$$

함수 $y = f(x)$의 그래프는 x축과 서로 다른 두 점에서 만나고, 함수 $f(x)$는 $x=5$에서 극솟값을 가진다.

이때 다음 문항에 답하시오.

(1) 실수 a, b, c, d의 값을 구하시오.

(2) 곡선 $y = f(x)$ 위의 점 $(x, f(x))$에서의 접선과 수직이면서 점 $(x, f(x))$를 지나는 직선의 x절편의 최솟값을 구하시오.

$$\left(\text{단,}\ 0 < x < \frac{8}{3}\right)$$

[문제 3] 다음 제시문을 읽고 아래 논제에 답하시오. (20점)

> 이차방정식 $ax^2 + bx + c = 0\,(a \neq 0)$의 두 근을 α, β라고 하면, 다음의 식이 성립한다.
> $$\alpha + \beta = -\frac{b}{a},\ \alpha\beta = \frac{c}{a}$$
> [출처 : 수학 「이차방정식의 근과 계수의 관계」]
>
> 좌표평면에서 두 직선이 x축의 양의 방향과 이루는 각의 크기를 각각 α, $\beta\,(\alpha > \beta)$라고 할 때, 두 직선이 이루는 예각의 크기를 $\theta\,(=\alpha - \beta)$라고 하면 다음 식이 성립한다.
> $$\tan\theta = \frac{\tan\alpha - \tan\beta}{1 + \tan\alpha\tan\beta}$$
> [출처 : 미적분 「두 직선이 이루는 예각의 크기」]

점 $P(a,\ b)$를 지나고 곡선 $y = x^2$에 접하는 직선이 두 개가 존재한다고 하자. 두 접선이 곡선 $y = x^2$과 만나는 점을 각각 A와 B라고 할 때, 두 접선의 사잇각 APB가 $\frac{\pi}{3}$라고 하자.

(1) a와 b의 관계식을 구하시오.

(2) 두 접선과 곡선 $y = x^2$으로 둘러싸인 도형의 넓이를 b에 관한 식으로 나타내시오.

$$\left(\text{단},\ b < -\frac{1}{2}\right)$$

[문제 4] 다음 제시문을 읽고 아래 논제에 답하시오. (30점)

물탱크는 물을 저장하는 용기이다. 급수관을 통하여 물탱크에 물을 채워 넣고, 배수관을 통하여 저장된 물탱크의 물을 밖으로 빼낼 수 있다. 물탱크의 급수/배수량을 조절 하기 위하여 펌프를 급수/배수관에 설치한다. 급수 및 배 수 속도는 급수관과 배수관에 설치하는 펌프에 따라 달라 질 수 있다.

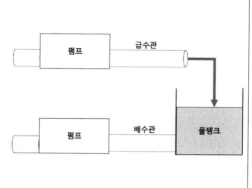

용량이 5리터(liter)인 물탱크가 있다. 물탱크에는 급수관과 배수관이 각각 한 개씩 존재한다. 아래에 주어진 세 개의 펌프 중 두 개를 골라서 그 중 한 개를 급수관에, 나머지 한 개를 배수관에 설치한다.

펌프의 시간 t에서의 급수 또는 배수량의 순간변화율은 다음과 같다.

  1번 펌프: $8t+1$ liter/hour

  2번 펌프: $4t+2$ liter/hour

  3번 펌프: $6t+4$ liter/hour

$t=0$에서 물탱크에 저장된 물은 0.1리터이다. $t=0$에서 $t=1$까지 1시간(hour) 동안 펌프를 작동시킨다고 하자. 펌프가 작동하는 동안 물탱크의 물이 넘치거나 바닥나지 않도록 펌프를 설치하는 경우의 수를 구하시오.

문항 【1】 반드시 해당 문항의 답을 작성해야 함

이 줄 아래에 답안을 작성하거나 낙서할 경우 판독이 불가능하여 채점 불가

문항 【3】 반드시 해당 문항의 답을 작성해야 함

이 줄 아래에 답안을 작성하거나 낙서할 경우 판독이 불가능하여 채점 불가

6. 2022학년도 숭실대 수시 논술 (자연 1)

[문제 1] 다음 제시문을 읽고 아래 논제에 답하시오. (25점)

두 함수 $y=f(u)$, $u=g(x)$가 미분 가능할 때, 합성함수 $y=f(g(x))$도 미분가능하며 그 도함수는

$$\frac{dy}{dx}=\frac{dy}{du}\times\frac{du}{dx} \ \text{또는} \ y'=f'(g(x))g'(x)$$

[출처 : 미적분「합성함수의 미분법」]

구간 $[0, \infty)$에서 연속이고 구간 $(0, \infty)$에서 미분가능한 두 함수 $f(x)$, $g(x)$는 다음 조건을 모두 만족시킨다.

(i) $g(1)=1$이고 모든 $x \geq 0$에 대하여 $g(2x)=3g(x)$이다.

(ii) 모든 $x \geq 0$에 대하여 $f(g(x))=x$이다.

이때 다음 문항에 답하시오.

(1) $f'(3) \times g'(1)$의 값을 구하시오.

(2) $\int_1^2 g(x)dx=A$일 때 $\int_0^1 g(x)dx$의 값을 A에 대한 식으로 나타내시오.

[문제 2] 다음 제시문을 읽고 아래 논제에 답하시오. (25점)

함수 $f(x)$가 실수 a에 대하여 다음 세 조건을 모두 만족시킬 때, $f(x)$는 $x=a$에서 연속이라고 한다.

① 함수 $f(x)$가 $x=a$에서 정의되어 있다.

② 극한값 $\lim\limits_{x \to a} f(x)$가 존재한다.

③ $\lim\limits_{x \to a} f(x) = f(a)$

[출처 : 수학Ⅱ 「함수의 연속」]

삼차함수 $f(x)$와 이차함수 $g(x)$는 다음 조건을 모두 만족시킨다.

(ⅰ) $f(x)$의 최고차항의 계수는 1이다.

(ⅱ) 곡선 $y=f(x)$와 곡선 $y=g(x)$의 교점은 두 개이며, 두 교점의 x좌표 중 더 큰 값은 2이다.

(ⅲ) 함수 $h(x) = \begin{cases} \dfrac{1}{x-2}\left(\dfrac{e^{f(x)}}{e^{g(x)}}-1\right) & (x \neq 2) \\ 16 & (x=2) \end{cases}$ 는 연속함수이다.

이때 곡선 $y=f(x)$와 곡선 $y=g(x)$로 둘러싸인 도형의 넓이를 구하시오.

[문제 3] 다음 제시문을 읽고 아래 논제에 답하시오. (20점)

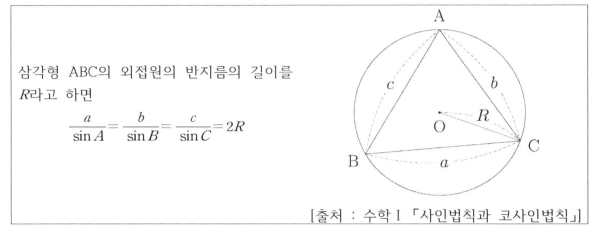

삼각형 ABC의 외접원의 반지름의 길이를 R라고 하면

$$\frac{a}{\sin A}=\frac{b}{\sin B}=\frac{c}{\sin C}=2R$$

[출처 : 수학 I 「사인법칙과 코사인법칙」]

반지름의 길이가 $\dfrac{7\sqrt{2}}{4}$인 원에 삼각형 ABC가 내접한다. 삼각형 ABC의 넓이는 $\sqrt{6}$이고 $\cos A=\dfrac{5}{7}$이다. 이때 삼각형 ABC의 세 변의 길이를 모두 구하시오.

[문제 4] 다음 제시문을 읽고 아래 논제에 답하시오. (30점)

> 첫째항이 a, 공비가 r인 등비수열의 첫째항부터 제 n항까지의 합을 S_n이라고 하면
>
> ① $r \neq 1$일 때 $S_n = \dfrac{a(1-r^n)}{1-r} = \dfrac{a(r^n-1)}{r-1}$
>
> ② $r = 1$일 때 $S_n = na$
>
> [출처 : 수학 I 「등비수열」]

모든 자연수 n에 대하여 $x_n = 3\pi\left(1 - \dfrac{1}{2^{n-1}}\right)$이다. 실수 전체에서 미분가능한 함수 $f(x)$는 모든 자연수 n에 대하여 다음 조건을 모두 만족시킨다.

> (i) 닫힌구간 $[x_n,\ x_{n+1}]$에서 실수 a_n, 양수 b_n에 대하여 $f(x) = a_n \sin(b_n x)$이다.
>
> (ii) $f(x_n) = f(x_{n+1}) = 0$이고, 열린구간 $(x_n,\ x_{n+1})$에서 방정식 $f(x) = 0$은 서로 다른 2개의 해를 갖는다.
>
> (iii) $f'(x_1) = \dfrac{1}{2}$

이때 다음 문항에 답하시오.

(1) b_{10}을 구하시오.

(2) 정적분 $\displaystyle\int_{x_1}^{x_{10}} f(x)\,dx$의 값을 구하시오.

논술답안지(자연계)	모집단위	수 험 번 호	생년월일 (예 : 050512)

※감독자 확인란

성   명

문항【1】 반드시 해당 문항의 답을 작성해야 함

이 줄 아래에 답안을 작성하거나 낙서할 경우 판독이 불가능하여 채점 불가

이 줄 아래에 답안을 작성하거나 낙서할 경우 판독이 불가능하여 채점 불가

문항【3】 반드시 해당 문항의 답을 작성해야 함

문항【4】 반드시 해당 문항의 답을 작성해야 함

이 줄 아래에 답안을 작성하거나 낙서할 경우 판독이 불가능하여 채점 불가

7. 2022학년도 숭실대 수시 논술 (자연 2)

[문제 1] 다음 제시문을 읽고 아래 논제에 답하시오. (25점)

> 미분가능한 함수 $g(x)$에 대하여 $g(x) = t$로 놓으면
> $$\int f(g(x))g'(x)dx = \int f(t)dt$$
>
> [출처 : 미적분 「치환적분법」]

함수 $f(x)$가 구간 $[1, \infty)$에서 $f(x) = x \ln x$로 정의되어 있다. 구간 $[0, \infty)$에서 연속이고 구간 $(0, \infty)$에서 미분 가능한 함수 $g(x)$는 모든 $x \geq 0$에 대하여

$$g(x) \geq 1, \quad f(g(x)) = x^2$$

을 만족시킨다. 이때 다음 문항에 답하시오.

(1) 곡선 $y = g(x)$ 위의 점 $(\sqrt{e}, e)$에서의 접선의 방정식을 구하시오.

(2) 정적분 $\displaystyle\int_0^{\sqrt{e}} 2x\{g(x)\}^2 dx$의 값을 구하시오.

[문제 2] 다음 제시문을 읽고 아래 논제에 답하시오. (25점)

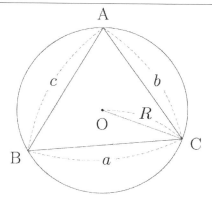

삼각형 ABC의 외접원의 반지름의 길이를 R라고 하면

$$\frac{a}{\sin A}=\frac{b}{\sin B}=\frac{c}{\sin C}=2R$$

[출처 : 수학 I 「사인법칙과 코사인법칙」]

함수 $f(x)$가 구간 $[-1, 1]$에서 다음과 같이 정의되어 있다.

$$f(x)=\begin{cases} 1-x^2 & (-1 \le x \le 0) \\ \sqrt{1-x^2} & (0 < x \le 1) \end{cases}$$

곡선 $y=f(x)$ 위에 오각형 ABCDE의 모든 꼭짓점이 놓여 있다. 점 A의 좌표는 $(1, 0)$, 점 E의 좌표는 $(-1, 0)$이고 두 점 B, C의 x좌표는 모두 양수이며 $\angle ABC = 150°$ 이다. 이때 다음 문항에 답하시오.

(1) 삼각형 ACE의 넓이를 구하시오.

(2) 오각형 ABCDE의 넓이가 최대가 되도록 하는 꼭짓점 B, C, D의 좌표를 구하시오.

[문제 3] 다음 제시문을 읽고 아래 논제에 답하시오. (20점)

미분가능한 함수 $f(x)$에 대하여 $f'(a)=0$이고 $x=a$의 좌우에서
① $f'(x)$의 부호가 양에서 음으로 바뀌면 $f(x)$는 $x=a$에서 극대이다.
② $f'(x)$의 부호가 음에서 양으로 바뀌면 $f(x)$는 $x=a$에서 극소이다.

[출처 : 수학Ⅱ, 함수의 극대와 극소]

원 $x^2+y^2=1$위의 점 $P(\cos\theta,\ \sin\theta)$에서의 접선을 ℓ이라고 하고, 점 $A(-1,\ 0)$에서 직선 ℓ에 내린 수선의 발을 H라고 하자. (단, $0<\theta<\pi$)
이때 다음 문항에 답하시오.

(1) 점 H의 좌표를 θ를 이용하여 나타내시오.
(2) 삼각형 APH의 넓이의 최댓값을 구하시오.

[문제 4] 다음 제시문을 읽고 아래 논제에 답하시오. (30점)

함수 $y = f(x)$가 닫힌구간 $[a, b]$에서 연속일 때, 곡선 $y = f(x)$와 x축 및 두 직선 $x = a$, $x = b$로 둘러싸인 도형의 넓이 S는 다음과 같다.

$$S = \int_a^b |f(x)| dx$$

[출처 : 미적분 「넓이」]

$a + r > 2$인 두 양수 a, r에 대하여 함수 $f(x)$가 구간 $[0, a+r]$에서 다음과 같이 정의되어 있다.

$$f(x) = \begin{cases} \int_0^x \left| \cos \dfrac{\pi t}{2} \right| dt & (0 \le x \le 2) \\[2mm] \sqrt{r^2 - (x-a)^2} & (2 < x \le a+r) \end{cases}$$

함수 $f(x)$가 구간 $[0, a+r]$에서 연속이고 구간 $(0, a+r)$에서 미분가능할 때, 다음 문항에 답하시오.

(1) a와 r의 값을 구하시오.

(2) 정적분 $\displaystyle\int_0^{a+r} f(x) dx$의 값을 구하시오.

문항 【1】 반드시 해당 문항의 답을 작성해야 함

이 줄 아래에 답안을 작성하거나 낙서할 경우 판독이 불가능하여 채점 불가

문항 【2】 반드시 해당 문항의 답을 작성해야 함

문항【3】 반드시 해당 문항의 답을 작성해야 함

이 줄 아래에 답안을 작성하거나 낙서할 경우 판독이 불가능하여 채점 불가

8. 2022학년도 숭실대 모의 논술

[문제 1] 아래 제시문을 읽고 다음 논제에 답하시오. (30점)

> 함수 $f(x)$에 대하여 다음이 성립한다.
> $$\lim_{x \to a} f(x) = L \Leftrightarrow \lim_{x \to a+} f(x) = \lim_{x \to a-} f(x) = L \quad (L은 실수)$$
>
> [출처 : 수학Ⅱ「함수의 극한」]

구간 $[0, \infty)$에서 함수 $f(x)$가 아래와 같이 주어져 있다.

$$f(x) = \lim_{n \to \infty} \frac{-x^{n+2} + ax^{n+1} + bx^n + c\cos\left(\dfrac{4\pi x}{3}\right)}{x^n + 1} \quad (a, \ b, \ c는 상수)$$

이때 다음 문항에 답하시오.

(1) 함수 $f(x)$가 구간 $[0, \infty)$에서 연속이 되도록 하는 a, b, c에 대하여 a를 b와 c의 식으로 나타내시오.

(2) 함수 $f(x)$가 구간 $(0, \infty)$에서 미분가능하도록 하는 a, b, c에 대하여 b를 c의 식으로 나타내시오.

(3) 함수 $f(x)$가 구간 $(0, \infty)$에서 미분가능할 때, 구간 $[0, \infty)$에서 방정식 $f(x) = 0$이 서로 다른 두 개의 해를 갖도록 하는 양수 c의 값을 구하시오.

[문제 2] 아래 제시문을 읽고 다음 논제에 답하시오. (20점)

두 함수 $f(x)$, $g(x)$가 모두 미분가능할 때
$$\int f(x)g'(x)dx = f(x)g(x) - \int f'(x)g(x)dx$$

[출처 : 미적분 「여러 가지 적분법」]

(1) 이차함수 $p(t) = t^2 + bt + c$에 대하여 정적분 $\displaystyle\int_0^x \frac{p(t)+p'(t)}{3}e^t dt$를 구하시오. ($b$, c는 상수)

(2) $f(0) = 0$, $f\left(\dfrac{1}{2}\right) = 3$이고 도함수가 실수 전체에서 연속인 함수 $f(t)$에 대하여

$$f_1(x) = \int_0^x \frac{f(t)+f'(t)}{3}e^t dt$$

$$f_{n+1}(x) = \int_0^x \frac{f_n(t)+f_n'(t)}{3}e^t dt \quad (n \text{은 자연수})$$

로 정의하자. 이때 급수 $\displaystyle\sum_{n=1}^{\infty} f_n\left(\frac{1}{2}\right)$의 합을 구하시오.

[문제 3] 아래 제시문을 읽고 다음 논제에 답하시오. (30점)

> 함수 $f(x)$의 $x=a$에서의 미분계수 $f'(a)$는 곡선 $y=f(x)$ 위의 점 $(a, f(a))$에서의 접선의 기울기와 같다.
>
> [출처 : 수학Ⅱ 미분계수와 도함수」]

함수 $f(x)$와 $g(x)$가 아래와 같이 주어져 있다.

$$f(x) = x^2 \quad (x \geq 0)$$

$$g(x) = -ax^2 + c\,(x < 0)\left(a,\ c \text{ 는 상수이고 } a > 0,\ \ \frac{1}{4} < c < \frac{3}{2}\right)$$

이때 다음 문항에 답하시오.

(1) 곡선 $y=f(x)$ 위의 점 $P=(1,\ 1)$에 대하여 다음 조건을 만족하는 곡선 $y=g(x)$ 위의 한 점 Q를 찾을 수 있을 때 함수 $g(x)$의 계수 a와 c의 관계식을 구하시오.

> 조건 : 곡선 $y=f(x)$ 위의 점 $P=(1,\ 1)$에서의 접선과 y축의 교점을 R, 곡선 $y=g(x)$ 위의 점 Q에서의 접선과 y축의 교점을 S라고 할 때, 점 P, Q, R, S를 지나고 중심이 y축 위에 있는 원이 존재한다.

(2) 점 $P=(1,\ 1)$에 대하여 문항 (1)로부터 주어지는 사각형 $PRQS$의 넓이가 최대가 되도록 하는 함수 $g(x)$의 계수 a와 c를 구하시오.

[문제 4] 아래 제시문을 읽고 다음 논제에 답하시오. (20점)

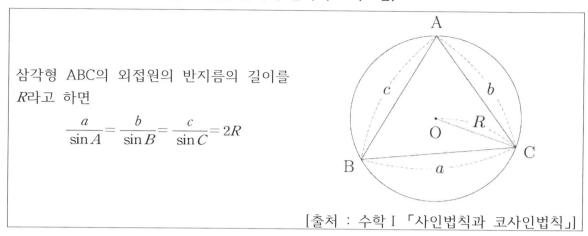

삼각형 ABC의 외접원의 반지름의 길이를 R라고 하면

$$\frac{a}{\sin A} = \frac{b}{\sin B} = \frac{c}{\sin C} = 2R$$

[출처 : 수학 I 「사인법칙과 코사인법칙」]

〈그림 1〉과 같이 삼각형 ABC에서 ∠BAC의 이등분선이 변 BC와 만나는 점을 P라고 하고, 점 P를 지나고 직선 AB에 평행한 직선이 변 AC와 만나는 점을 Q라고 하자. 또한, ∠PQC의 이등분선이 변 BC와 만나는 점을 R라고 하고, 점 R를 지나고 직선 PQ에 평행한 직선이 변 AC와 만나는 점을 S라고 하자.

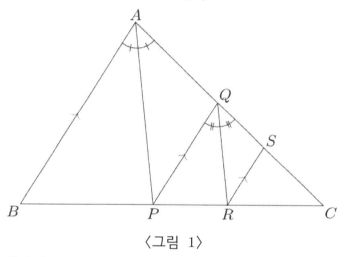

〈그림 1〉

이때 다음 문항에 답하시오.

(1) 사인법칙을 이용하여 $\overline{AB} : \overline{AC} = \overline{BP} : \overline{PC}$가 성립함을 보이시오.

(2) $\overline{AB} = 4$, $\overline{BC} = 5$이고 삼각형 ABP와 삼각형 QRS의 넓이의 비가 $27 : 1$일 때, 삼각형 ABC의 넓이를 구하시오.

문항【1】 반드시 해당 문항의 답을 작성해야 함

이 줄 아래에 답안을 작성하거나 낙서할 경우 판독이 불가능하여 채점 불가

반드시 해당 문항의 답을 작성해야 함

이 줄 아래에 답안을 작성하거나 낙서할 경우 판독이 불가능하여 채점 불가

문항【3】 반드시 해당 문항의 답을 작성해야 함

이 줄 아래에 답안을 작성하거나 낙서할 경우 판독이 불가능하여 채점 불가

이 줄 아래에 답안을 작성하거나 낙서할 경우 판독이 불가능하여 채점 불가

9. 2021학년도 숭실대 수시 논술 (자연 1)

[문제 1] 다음 제시문을 읽고 아래 논제에 답하시오. (30점)

> 수직선 위를 움직이는 점 P의 시각 t에서의 속도가 $v(t)$이고 시각 $t=a$에서 점 P의 위치가 x_0일 때, 시각 $t=b$에서 점 P의 위치 x는
> $$x = x_0 + \int_a^b v(t)dt$$
>
> [출처 : 수학Ⅱ 「정적분의 활용」]

원점에서 출발하여 수직선 위를 움직이는 두 점 A와 B는 다음 조건을 모두 만족한다.

> (ⅰ) 점 A의 시각 t에서의 속도는 $6t-2$이다.
> (ⅱ) 점 B의 시각 t에서의 위치는 점 A의 시각 t^2에서의 위치와 같다.

다음 문항에 답하시오.

(1) 두 점 A와 B가 시각 $t=0$ 이후에 만나는 시각을 모두 구하시오.

(2) 두 점 A와 B가 시각 $t=0$ 이후에 마지막으로 만날 때까지 두 점 사이의 거리가 최대가 되는 시각과 그 때 두 점 사이의 거리를 구하시오.

[문제 2] 다음 제시문을 읽고 아래 논제에 답하시오. (20점)

함수 $f(x)$가 닫힌구간 $[a, b]$에서 연속이고 미분가능한 함수 $x = g(t)$에 대하여 $a = g(\alpha)$, $b = g(\beta)$일 때 도함수 $g'(t)$가 α, β를 포함하는 구간에서 연속이면

$$\int_a^b f(x)dx = \int_\alpha^\beta f(g(t))g'(t)dt$$

[출처 : 미적분 「여러 가지 적분법」]

$0 \le x \le 2$에서 정의된 증가함수 $f(x)$는 2보다 큰 실수 a에 대하여 다음 조건을 모두 만족한다.

(i) $f(x)$는 닫힌구간 $[0, 2]$에서 연속이고 열린구간 $(0, 2)$에서 미분가능하다.

(ii) $f(0) = 0$

(iii) 닫힌구간 $[0, 1]$에 속하는 모든 x에 대하여
$$f(1+x) + af(1-x) = 3(단, a > 2)$$

(iv) $\displaystyle\int_0^2 f(x)dx = 2$

함수 $f(x)$의 역함수를 $g(x)$라고 할 때, 정적분 $\displaystyle\int_0^{f(1)} g(x)dx$가 최대가 되는 실수 a의 값을 구하시오.

[문제 3] 다음 제시문을 읽고 아래 논제에 답하시오. (30점) ※ 주의 현재 시험범위 제외

(가) 두 사건 A, B가 서로 배반사건이면
$$P(A \cup B) = P(A) + P(B)$$
[출처 : 확률과 통계「확률의 뜻과 활용」]

(나) 두 사건 A, B가 동시에 일어날 확률은
$$P(A \cap B) = P(A)P(B|A) = P(B)P(A|B) \quad (단, \; P(A) > 0, \; P(B) > 0)$$
[출처 : 확률과 통계「조건부확률」]

흰 구슬 2개와 검은 구슬 3개가 들어 있는 주머니가 있다. A부터 시작하여 A와 B가 흰 구슬이 모두 나올 때까지 번갈아가며 구슬을 1개씩 임의로 꺼낸다. 두 번째 흰 구슬을 꺼낸 사람이 승리한다고 할 때, 다음 문항에 답하시오. (단, 꺼낸 구슬은 다시 넣지 않는다.)

(1) A가 승리할 확률을 구하시오.

(2) B가 승리했을 때, B가 꺼낸 구슬이 총 2개일 확률을 구하시오.

(3) 흰 구슬을 꺼낸 사람은 연이어 1개 더 구슬을 꺼내는 규칙을 추가했을 때, A가 승리할 확률을 구하시오.

※ 주의 현재 시험범위 제외 (2025학년도 "확률과 통계"는 시험범위에서 제외됨)

[문제 4] 다음 제시문을 읽고 아래 논제에 답하시오. (20점)

> (가) 반지름의 길이가 r, 중심각의 크기가 θ(라디안)인 부채꼴의 넓이를 S라고 하면
> $$S = \frac{1}{2}r^2\theta$$
> [출처: 수학 I 「삼각함수」]
>
> (나) $\lim\limits_{\theta \to 0} \dfrac{\sin\theta}{\theta} = 1$ (단, θ의 단위는 라디안)
> [출처 : 미적분 「여러 가지 함수의 미분」]

좌표평면에 원 $C : x^2 + y^2 = 1$과 원 $D : (x-t)^2 + y^2 = t^2 - 1\,(t > 1)$이 있다. 〈그림 1〉과 같이 두 원의 교점을 P와 Q, 원 D의 중심을 R이라고 할 때, 부채꼴 PRQ의 넓이를 $A(t)$라고 하자. 부채꼴 PRQ의 넓이의 변화율의 극한값 $\lim\limits_{t \to \infty} \dfrac{dA}{dt}$를 구하시오.

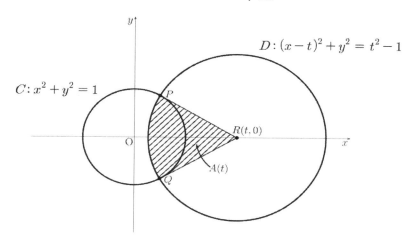

문항 【1】 반드시 해당 문항의 답을 작성해야 함

이 줄 아래에 답안을 작성하거나 낙서할 경우 판독이 불가능하여 채점 불가

이 줄 아래에 답안을 작성하거나 낙서할 경우 판독이 불가능하여 채점 불가

문항【3】 반드시 해당 문항의 답을 작성해야 함

이 줄 아래에 답안을 작성하거나 낙서할 경우 판독이 불가능하여 채점 불가

문항【4】 반드시 해당 문항의 답을 작성해야 함

이 줄 아래에 답안을 작성하거나 낙서할 경우 판독이 불가능하여 채점 불가

10. 2021학년도 숭실대 수시 논술 (자연 2)

[문제 1] 다음 제시문을 읽고 아래 논제에 답하시오. (30점)

함수 $f(x)$가 임의의 세 실수 a, b, c를 포함하는 구간에서 연속일 때

$$\int_a^c f(x)dx + \int_c^b f(x)dx = \int_a^b f(x)dx$$

[출처 : 수학 Ⅱ 「부정적분과 정적분」]

주기가 1인 주기함수 $f(x)$는 $0 \le x \le 1$에서 $f(x) = a - |2x - 1|$이다. 함수 $g(x)$를 다음과 같이 정의하자. ($[x]$는 x를 넘지 않는 최대의 정수이다.)

$$g(x) = \frac{f(x)}{[x+1][x+2]} \quad (x \ge 0)$$

다음 문항에 답하시오.

(1) 임의의 자연수 k에 대하여, 함수 $g(x)$가 $x = k$에서 연속이 되도록 상수 a의 값을 정하시오.

(2) 문항 (1)에서 구한 상수 a에 대하여, n이 자연수일 때 $\int_0^n g(x)|\sin \pi x| dx$를 n의 식으로 나타내시오.

[문제 2] 다음 제시문을 읽고 아래 논제에 답하시오. (20점)

두 함수 $f(x)$, $g(x)$가 닫힌구간 $[a, b]$에서 연속일 때, 두 곡선 $y=f(x)$, $y=g(x)$ 및 두 직선 $x=a$, $x=b$로 둘러싸인 도형의 넓이 S는

$$S=\int_a^b |f(x)-g(x)|dx$$

[출처 : 수학Ⅱ「정적분의 활용」]

곡선 $C: y=x^3+ax$ 위의 점 P에서의 접선 ℓ과 곡선 C가 만나는 다른 점을 Q라고 하자. 선분 PQ의 중점 R의 x좌표를 b라고 할 때, 다음 문항에 답하시오.

(1) 점 P와 점 Q의 x좌표를 각각 b의 식으로 나타내시오.

(2) 곡선 C와 선분 PR 및 직선 $x=b$로 둘러싸인 도형의 넓이를 K, 곡선 C와 선분 QR 및 직선 $x=b$로 둘러싸인 도형의 넓이를 L이라 할 때, 극한값 $\lim\limits_{b\to\infty}\dfrac{K}{L}$을 구하시오.

[문제 3] 다음 제시문을 읽고 아래 논제에 답하시오. (30점) ※ 주의 현재 시험범위 제외

> (가) 두 사건 A, B가 서로 배반사건이면
> $$P(A \cup B) = P(A) + P(B)$$
> [출처 : 확률과 통계「확률의 뜻과 활용」]
>
> (나) 두 사건 A, B가 동시에 일어날 확률은
> $$P(A \cap B) = P(A)P(B|A) = P(B)P(A|B) \quad (단, \ P(A) > 0, \ P(B) > 0)$$
> [출처 : 확률과 통계「조건부확률」]

흰 구슬 2개, 검은 구슬 3개가 들어 있는 주머니에서 흰 구슬이 모두 나올 때까지 구슬을 임의로 1개씩 꺼낸다고 하자. (단, 꺼낸 구슬은 다시 넣지 않는다.) 꺼낸 구슬의 총 개수를 확률변수 X라고 할 때, 다음 문항에 답하시오.

(1) 확률 $P(X=5)$를 구하시오.

(2) 기댓값 $E(X)$를 구하시오.

(3) 흰 구슬 2개, 검은 구슬 n개가 들어 있는 주머니에서 흰 구슬이 모두 나올 때까지 구슬을 임의로 1개씩 꺼낸다고 하자. (단, 꺼낸 구슬은 다시 넣지 않는다.) 꺼낸 구슬의 총 개수를 확률변수 Y라고 할 때, 기댓값 $E(Y)$를 n의 식으로 나타내시오.

※ 주의 현재 시험범위 제외 (2025학년도 "확률과 통계"는 시험범위에서 제외됨)

[문제 4] 다음 제시문을 읽고 아래 논제에 답하시오. (20점)

함수 $f(x)$가 닫힌구간 $[a, b]$에서 연속이면 최대 · 최소 정리에 의하여 함수 $f(x)$는 최댓값과 최솟값을 갖는다. 최댓값은 이 구간에서 함수의 극댓값, $f(a)$, $f(b)$중 가장 큰 값이고, 최솟값은 극솟값, $f(a)$, $f(b)$중에서 가장 작은 값이다.

[출처 : 수학 Ⅱ 「도함수의 활용」]

곡선 $C : x^2 + y = 6$과 직선 $\ell : 2x + y = 6$으로 둘러싸인 도형을 S라고 하자. 도형 T는 실수 a에 대하여 다음 조건을 모두 만족하는 직사각형 중 넓이가 가장 큰 직사각형이다.

(ⅰ) S의 내부에 포함된다.

(ⅱ) 가로는 x축과 평행하고 세로는 y축과 평행하다.

(ⅲ) 곡선 C 위의 점 $(a, -a^2 + 6)$에 오른쪽 위 꼭짓점을 두고 있다.

다음 문항에 답하시오.

(1) 직사각형 T의 넓이 M을 a의 식으로 나타내시오.

(2) 넓이 M이 최대가 되는 실수 a의 값을 구하시오.

문항 【1】 반드시 해당 문항의 답을 작성해야 함

이 줄 아래에 답안을 작성하거나 낙서할 경우 판독이 불가능하여 채점 불가

문항【2】 반드시 해당 문항의 답을 작성해야 함

이 줄 아래에 답안을 작성하거나 낙서할 경우 판독이 불가능하여 채점 불가

문항 【3】 반드시 해당 문항의 답을 작성해야 함

이 줄 아래에 답안을 작성하거나 낙서할 경우 판독이 불가능하여 채점 불가

문항 【4】 반드시 해당 문항의 답을 작성해야 함

이 줄 아래에 답안을 작성하거나 낙서할 경우 판독이 불가능하여 채점 불가

11. 2021학년도 숭실대 모의 논술

[문제 1] 다음 논제에 답하시오. (30점)

함수 $f(x) = \sqrt{x}\ln x (x \geq 1)$의 역함수를 $g(x)$라고 할 때, 함수 $h(x) = g(2x-1)$에 대하여 다음 문항에 답하시오.

(1) 곡선 $y = h(x)$위의 점 $\left(\dfrac{\sqrt{e}+1}{2},\ e\right)$에서의 접선의 방정식을 구하시오.

(2) 곡선 $y = h(x)$와 x축 및 두 직선 $x = \dfrac{1}{2}$, $x = \dfrac{\sqrt{e}+1}{2}$로 둘러싸인 도형의 넓이 S를 구하시오.

[문제 2] 다음 논제에 답하시오. (20점)

좌표평면 위에 중심이 원점 O이고 곡선 $y = x\tan x$ $\left(0 \le x < \dfrac{\pi}{2}\right)$위의 점 $P(u,\ u\tan u)$를 지나는 원 C가 있다. <그림 1>과 같이 평면도형 F는 원 C와 선분 OP및 y축으로 둘러싸인 부채꼴이고, 입체도형 S는 밑면이 F이고 높이가 $h(u)$인 부채꼴 기둥이다. S의 부피 $V(u)$의 순간변화율 $\dfrac{dV}{du}$가 항상 0이고 $V(1) = 1$일 때, $\displaystyle\lim_{u \to \frac{\pi}{2}-} \dfrac{dh}{du}$를 구하시오.

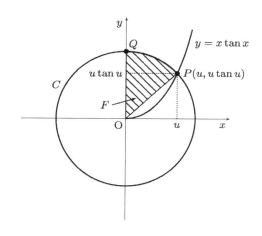 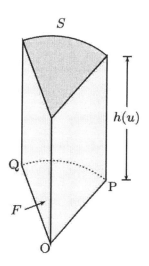

<그림 1>

[문제 3] 다음 논제에 답하시오. (30점)　　　　　　　　　　　　　　　※ 주의 현재 시험범위 제외

배구 경기는 5세트 중에서 3세트를 먼저 이긴 팀이 최종 승리한다. 매 세트마다 한 팀이 다른 팀을 이길 확률은 이전 세트까지의 전적(세트스코어)에 의해 결정되는데, 세트스코어가 s승 t패인 팀이 다음 세트에서 이길 확률은 $\dfrac{(s-t)+5}{10}$이다. (단, 매 세트에 무승부는 없다.)

예를 들어, 한 팀이 첫 세트(0승 0패일 때)를 이길 확률은 $\dfrac{(0-0)+5}{10}=\dfrac{1}{2}$이고, 세트스코어 2승 0패일 때 다음 세트를 이길 확률은 $\dfrac{(2-0)+5}{10}=\dfrac{7}{10}$이다. 최종 승리하는 팀이 결정될 때까지 치러지는 세트 수를 확률변수 X라 할 때, 다음 문항에 답하시오.

(1) 확률 $P(X \geq 4)$을 구하시오.
(2) 기댓값 $E(X)$를 구하시오.

※ 주의 현재 시험범위 제외 (2025학년도 "확률과 통계"는 시험범위에서 제외됨)

[문제 4] 다음 논제에 답하시오. (20점)　　　　※ 주의 현재 이항정리는 시험범위 제외

<그림 2>와 같이, 유리함수 $y = \dfrac{1}{x^k}$의 그래프 위의 점 $P_n\left(n, \dfrac{1}{n^k}\right)$이 있다. (단, k, n은 자연수이다.) 원점 O와 점 P_n을 이은 선분이 y축의 양의 방향과 이루는 각을 θ_n이라 할 때,

$$\lim_{n \to \infty} \left\{ an^b \tan(\theta_{n+1} - \theta_n) \right\} = 1$$

을 만족하는 a, b를 k에 대한 식으로 각각 나타내시오.

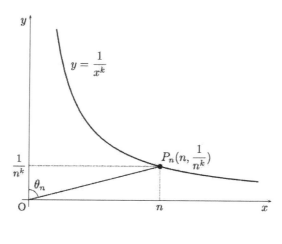

<그림 2>

※ 주의 현재 이항정리는 시험범위 제외
(2025학년도 "확률과 통계"는 시험범위에서 제외됨)

문항 【1】 반드시 해당 문항의 답을 작성해야 함

이 줄 아래에 답안을 작성하거나 낙서할 경우 판독이 불가능하여 채점 불가

이 줄 아래에 답안을 작성하거나 낙서할 경우 판독이 불가능하여 채점 불가

문항 【3】 반드시 해당 문항의 답을 작성해야 함

이 줄 아래에 답안을 작성하거나 낙서할 경우 판독이 불가능하여 채점 불가

문항 【4】 반드시 해당 문항의 답을 작성해야 함

이 줄 아래에 답안을 작성하거나 낙서할 경우 판독이 불가능하여 채점 불가

VI. 예시 답안

1. 2024학년도 숭실대 수시 논술

【문제 1】다음 제시문을 읽고 아래 논제에 답하시오. (25점)

$0 < t < 1$에 대하여 $(-1,\ 0)$과 $(t,\ 0)$을 지름의 양 끝 점으로 하는 원과, $(t,\ 0)$과 $(1,\ 0)$을 지름의 양 끝 점으로 하는 원이 있다. 이 두 원에 동시에 접하고 기울기가 음수인 접선을 ℓ이라고 하자.

이때 다음 문항에 답하시오.

(1) 직선 ℓ의 방정식을 구하시오.

(2) 직선 ℓ의 y절편을 $f(t)$라고 할 때, $\displaystyle\int_{\frac{1}{2}}^{\frac{\sqrt{2}}{2}} f(t)dt$를 구하시오.

【문제 2】다음 제시문을 읽고 아래 논제에 답하시오. (25점)

정의역이 $\{x|x \geq 0\}$인 두 함수 $f(x)$와 $g(x)$가 아래와 같이 주어져 있다.

$$f(x) = 1 - |x - 2n - 1| \quad (2n \leq x < 2n + 2,\ n = 0,\ 1,\ 2,\ 3,\ \cdots)$$

$$g(x) = x^2 + kx + 1 \qquad (\text{단},\ k > 1)$$

함수 $h(x)$가 함수 $g(x)$의 역함수이고 $u(x) = h(x) - f(x)$(단, $x \geq 1$) 일 때, 다음 문항에 답하시오.

(1) 양의 정수 n에 대하여 $2n \leq x \leq 2n + 2$일 때 함수 $u(x)$의 증가와 감소를 조사하시오.

(2) 함수 $u(x)$의 그래프와 x축이 1001개의 서로 다른 점에서 만나도록 하는 실수 k의 값의 범위를 구하시오.

【문제 3】다음 제시문을 읽고 아래 논제에 답하시오. (25점)

함수 $f(x)$와 $g(x)$가 아래와 같이 주어져 있다.

$$f(x) = \begin{cases} 1 - x^2 & (x \leq 0) \\ 1 - ax^2 & (x > 0) \end{cases} (\text{단, } a\text{는 상수}), \quad g(x) = \begin{cases} -x + \dfrac{1}{2} & (x \leq 0) \\ -x - \dfrac{1}{4} & (x > 0) \end{cases}$$

합성함수 $f(g(x))$는 연속이라고 하자.

이때 한 변이 x축 위에 있고, 함수 $f(x)$의 그래프와 x축으로 둘러싸인 도형에 내접하는 직사각형의 넓이의 최댓값을 구하시오.

【문제 4】다음 제시문을 읽고 아래 논제에 답하시오. (25점)

다음 조건을 만족시키는 함수 f의 개수를 세려고 한다.

$$f : \{1,\ 2,\ 3,\ 4,\ 5,\ 6\} \to \{1,\ 2,\ 3,\ 4,\ 5,\ 6\},\ f \circ f \text{는 항등함수}$$

이를 위하여 학생 A 는 다음과 같은 방법을 제시하였다.

(가) $f(a)=b$이면 $f(b)=a$여야 한다.

(나) 그러므로 $\{1, 2, 3, 4, 5, 6\}$의 모든 원소를 두 개씩 세 쌍으로 나누는 경우의 수를 구하면 된다.

(다) 따라서 조건을 만족시키는 함수 f의 개수는 $_6\mathrm{C}_2 \times _4\mathrm{C}_2 \times _2\mathrm{C}_2 = 15 \times 6 \times 1 = 90$개 이다.

이때 다음 문항에 답하시오.

(1) 학생 A의 방법에서 잘못된 점을 모두 찾아서 설명하시오.

(2) 위의 조건을 만족시키는 함수 f의 개수를 구하시오.

【문제 1】

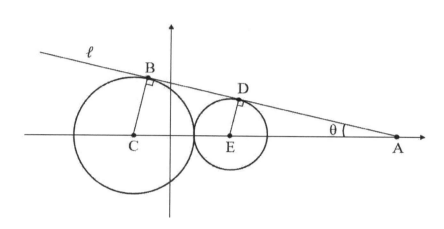

큰 원은 반지름이 $\dfrac{1+t}{2}$이고 중심의 좌표는 $\mathrm{C}\left(\dfrac{t-1}{2},\ 0\right)$이다. 작은 원은 반지름이 $\dfrac{1-t}{2}$ 이고 중심의 좌표는 $\mathrm{E}\left(\dfrac{t+1}{2},\ 0\right)$이다.

(1) x축과 직선 ℓ, 그리고 각 원의 반지름으로 이루어지는 두 삼각형 ABC와 ADE는 닮음비가 $\dfrac{1+t}{2} : \dfrac{1-t}{2}$인 직각삼각형이다. 그런데 직선 ℓ의 x절편을 x_0라 하면, 삼각형 ABC의 빗변 AC의 길이는 $x_0 + \dfrac{1-t}{2}$, 삼각형 ADE의 빗변 AE의 길이는 $x_0 - \dfrac{t+1}{2}$이 다.

그러므로

$$\left(x_0 + \frac{1-t}{2}\right) : \left(x_0 - \frac{t+1}{2}\right) = \frac{1+t}{2} : \frac{1-t}{2}$$

가 성립하고, 따라서

$$(t+1)(2x_0 - (t+1)) = (1-t)(2x_0 + (1-t)) \Rightarrow x_0 = \frac{t^2+1}{2t}$$

이다.

또한 ℓ의 기울기를 a라 하면, $\overline{\mathrm{AE}} = \dfrac{1-t}{2t}$이고 $\overline{\mathrm{DE}} = \dfrac{1-t}{2}$이므로, $\angle \mathrm{DAE} = \theta$일 때

$$\sin\theta = \frac{\dfrac{1-t}{2}}{\dfrac{1-t}{2t}} = t, \quad a = -\tan\theta = -\frac{t}{\sqrt{1-t^2}}$$

이다.

그러므로 직선 ℓ의 방정식은

$$y = -\frac{t}{\sqrt{1-t^2}}\left(x - \frac{t^2+1}{2t}\right) = -\frac{t}{\sqrt{1-t^2}}x + \frac{t^2+1}{2\sqrt{1-t^2}}$$

이다.

(2) 직선 ℓ의 y절편이 $f(t) = \dfrac{t^2+1}{2\sqrt{1-t^2}}$ 이므로

$$\int_{1/2}^{1/\sqrt{2}} f(t)dt = \int_{1/2}^{1/\sqrt{2}} \frac{t^2+1}{2\sqrt{1-t^2}}dt$$

이고, $t = \sin\theta$로 치환하면 $\dfrac{dt}{d\theta} = \cos\theta$이므로

$$\int_{1/2}^{1/\sqrt{2}} f(t)dt = \int_{\pi/6}^{\pi/4} \frac{(\sin^2\theta + 1)\cos\theta}{2\sqrt{1-\sin^2\theta}}d\theta$$

$$= \frac{1}{2}\int_{\pi/6}^{\pi/4}(\sin^2\theta + 1)d\theta$$

$$= \frac{1}{4}\int_{\pi/6}^{\pi/4}(3 - \cos 2\theta)d\theta$$

$$= \frac{1}{4}\left[3\theta - \frac{1}{2}\sin 2\theta\right]_{\pi/6}^{\pi/4} = \frac{\pi - 2 + \sqrt{3}}{16}$$

이다.

【문제 2】

(1) $x > 0$일 때 $g'(x) = 2x + k > 1$이 성립한다.

함수 $g(x)$의 미분계수가 항상 양수이므로 $x > 1$에서 함수 $g(x)$의 역함수 $h(x)$의 미분계수가 항상 존재한다. 이때 $h'(x) = \dfrac{1}{g'(h(x))}$이므로 $0 < h'(x) < 1$이다.

함수 $f(x)$는 $2n \le x \le 2n+2$일 때 다음과 같이 주어진다.

$$f(x) = \begin{cases} x - 2n & (2n \le x < 2n+1) \\ -x + 2n + 2 & (2n+1 \le x \le 2n+2) \end{cases}$$

$2n < x < 2n+1$ 또는 $2n+1 < x < 2n+2$일 때 함수 $f(x)$가 미분가능하므로 함수 $u(x)$역시 $2n < x < 2n+1$ 또는 $2n+1 < x < 2n+2$일 때 미분가능하고, 이때 도함수 $u'(x)$는 다음과 같다.

$$u'(x) = \begin{cases} h'(x)-1 & (2n < x < 2n+1) \\ h'(x)+1 & (2n+1 < x < 2n+2) \end{cases}$$

$h'(x)-1 < 0$, $h'(x)+1 > 0$이므로 $u(x)$의 증가와 감소를 표로 나타내면 다음과 같다.

x	$2n$	$\cdots$	$2n+1$	$\cdots$	$2n+2$
$u'(x)$	존재하지 않음	$-$	존재하지 않음	$+$	존재하지 않음
$u(x)$	$h(2n)$	$\searrow$	$h(2n+1)-1$	$\nearrow$	$h(2n+2)$

(2) $1 < x < 2$일 때 $u'(x) = h'(x)+1 > 0$이므로 $1 \le x \le 2$에서 함수 $u(x)$는 증가한다. 또한 $u(1) = -1$, $u(2) = h(2) > 0$이므로 $1 \le x \le 2$일 때 함수 $u(x)$의 그래프는 x축과 한 점에서 만나게 된다.

n이 양의 정수일 때 문항 (1)의 증감표에 의하여 함수 $u(x)$는 $2n \le x \le 2n+1$에서 감소하고 $2n+1 \le x \le 2n+2$에서 증가하며, $u(2n) = h(2n) > 0$이고 $u(2n+2) = h(2n+2) > 0$이다.

따라서 $2n \le x \le 2n+2$에서 함수 $u(x)$의 그래프와 x축의 교점의 개수는 다음과 같이 주어진다.

    (a) $u(2n+1) = h(2n+1)-1 > 0$: 교점의 개수는 0개이다.

    (b) $u(2n+1) = h(2n+1)-1 = 0$: 교점의 개수는 1개이다.

    (c) $u(2n+1) = h(2n+1)-1 < 0$: 교점의 개수는 2개이다.

함수 $h(x)$는 증가함수이므로, $h(2n+1) < h(2n+3)$이다. 따라서, 구간 $[2n, 2n+2]$에서 경우 **(a)** 또는 **(b)**가 발생하면, 다음 구간 $[2n+2, 2n+4]$에서는 반드시 경우 **(a)**가 발생한다.

그러므로 함수 $u(x)$의 그래프와 x축이 1001개의 점에서 만나기 위해서는 $1 < x < 2$에서 한 번 만나고, 경우 **(c)**가 정확히 500번 발생하여야 한다. 즉 다음이 성립하여야 한다.

$$h(2 \cdot 1 + 1) < 1,$$
$$h(2 \cdot 2 + 1) < 1,$$
$$\vdots$$
$$h(2 \cdot 500 + 1) < 1,$$
$$h(2 \cdot 501 + 1) > 1$$

함수 $h(x)$는 증가함수이므로 $h(1001) < 1$, $h(1003) > 1$이 성립하면 충분하다.

$$h(1001) < 1 \iff g(h(1001)) = 1001 < g(1),$$
$$h(1003) > 1 \iff g(h(1003)) = 1003 > g(1)$$

이므로 $1001 < g(1) < 1003$, 즉 $1001 < k+2 < 1003$이 성립해야 한다. 따라서 구하는 실수 k의 값의 범위는

$$999 < k < 1001$$

이다.

[문제 3]

합성함수 $f(g(x))$는 다음과 같다.

$$f(g(x)) = \begin{cases} 1 - a\left(-x + \dfrac{1}{2}\right)^2 & x \le 0 \\ 1 - \left(-x - \dfrac{1}{4}\right)^2 & x > 0 \end{cases}$$

이 함수가 $x = 0$에서 연속이기 위해서는 좌극한, 우극한과 함숫값이 일치해야 한다. 따라서

$$1 - \frac{a}{2^2} = \lim_{x \to 0-} f(g(x)) = f(g(0)) = \lim_{x \to 0+} f(g(x)) = 1 - \frac{1}{4^2}$$

이어야 하므로, $a = \dfrac{1}{4}$이다.

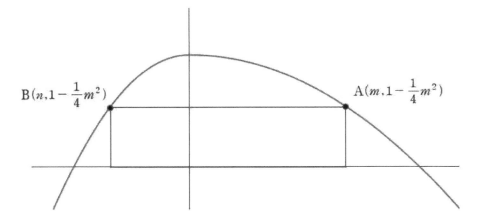

직사각형의 오른쪽 변의 x좌표를 m이라고 하자. 이때 직사각형의 오른쪽 위 꼭짓점은 $A\left(m,\ 1 - \dfrac{1}{4}\ m^2\right)$이 된다.

직사각형의 왼쪽 위 꼭짓점은 $B\left(n,\ 1 - \dfrac{1}{4}\ m^2\right)$이고 이 점은 곡선 $y = 1 - x^2$ 위에 있으므로 다음 식이 성립한다.

$$1 - n^2 = 1 - \frac{1}{4}m^2$$

따라서 $n = -\dfrac{m}{2}$이고 직사각형의 넓이는 다음과 같다.

$$S(m) = \left(1 - \frac{m^2}{4}\right)\left(m + \frac{m}{2}\right) = \frac{3}{2}m - \frac{3}{8}m^3$$

$S'(m) = \dfrac{3}{2} - \dfrac{9}{8}m^2 \ \ (0 < m < 2)$이고 함수 $S(m)$의 증감표는 다음과 같다.

m	$0 < m < \dfrac{2}{\sqrt{3}}$	$\dfrac{2}{\sqrt{3}}$	$\cdots$
$S'(m)$	$+$	0	$-$
$S(m)$	$\nearrow$	$\dfrac{2}{\sqrt{3}}$	$\searrow$

따라서 직사각형의 넓이의 최댓값은 $\dfrac{2}{\sqrt{3}}$ 이다.

【문제 4】
(1) 학생 A의 방법에서 첫 번째 잘못된 점은, $f(i) = i$인 값 i가 있을 가능성을 고려하지 않고 과정 (나)에서 원소를 두 개씩 세 쌍으로 나누는 경우만 고려한 것이다. $f(i) = j$일 때 $i \neq j$이면 두 개씩 쌍을 이루어야 하지만, $i = j$인 경우는 다른 원소와 쌍을 이루지 않는다.

두 번째 잘못된 점은, 두 개씩 세 쌍이 이루어지는 경우의 수는 쌍을 택하는 순서와 무관해야 하는데, 과정 (다)에서 쌍의 순서를 고려하여 계산한 것이다.
(2) $f(i) = j$이고 $i \neq j$인 원소 i의 개수는 짝수이므로 $f(i) = i$인 원소 i의 개수 역시 짝수이다.

2. 2024학년도 숭실대 모의 논술

[문제 1]
원 $x^2 + y^2 = 1$의 접선 중에서, 기울기가 $\sqrt{3}$이고 y절편이 양수인 접선을 ℓ이라고 하고 기울기와 y절편이 모두 음수인 접선을 m이라고 하자. 직선 ℓ, 직선 m, 직선 $y = -1$ 및 직선 $x = 1$로 둘러싸인 사각형의 면적이 최소가 되도록 하는 직선 m의 방정식을 구하시오.

[문제 2] 함수 $f(x) = \begin{cases} \cos bx & (0 \leq x \leq 1) \\ cx + d & (x > 1) \end{cases}$ 는 $x > 0$에서 미분가능하다. (단, $b > 0$)

방정식 $f(x) = 0$의 서로 다른 양의 실수해의 개수가 11개일 때, 다음 문항에 답하시오.
(2-1) b의 범위를 구하시오.
(2-2) d의 최댓값을 구하시오.

[문제 3]
실수 b에 대하여 $x > 0$에서 정의된 함수 $f(x) = -2x^2 + bx + 2\ln 2 - \ln x$의 역함수가 존재할 때 $\displaystyle\int_1^2 f(x)dx$의 최댓값을 구하시오.

숭실대학교 축구부 감독은 30명의 스포츠학부 학생 중에서 11명의 선수를 선발하고, 이 중에서 역할이 동등한 두 명의 리더를 지명하기로 하였다. 이렇게 팀을 구성하는 경우의 수를 감독은 다음과 같이 생각하였다.

감독: 30명의 학생 중에서 11명의 선수를 먼저 선발하고 이 중에서 리더 2명을 지명한다.

이때 경우의 수는 $A = {}_{30}\mathrm{C}_{11} \times {}_{11}\mathrm{C}_{2}$이다.

반면 학생들은 팀을 구성하는 다른 방법을 제시하고, 그 때의 경우의 수를 올바르게 계산하였다.

① 방법1: 감독이 리더 2명을 먼저 지명하고, 두 리더가 상의하여 나머지 9명의 선수를 선발한다.

이때 경우의 수는 $P = {}_{30}\mathrm{C}_{2} \times {}_{28}\mathrm{C}_{9}$이다.

② 방법2: 감독이 리더 1명을 먼저 지명하고, 이 리더가 나머지 10명의 선수를 선발한 뒤 이 중에서 리더 1명을 마저 지명한다.

이때 경우의 수는 $Q = {}_{30}\mathrm{C}_{1} \times {}_{29}\mathrm{C}_{10} \times {}_{10}\mathrm{C}_{1}$이다.

③ 방법3: 감독이 선수 5명을 먼저 선발하고 선발된 선수 중에서 리더 2명을 지명한 뒤, 두 리더가 상의 하여 나머지 6명의 선수를 선발한다.

이때 경우의 수는 $R = {}_{30}\mathrm{C}_{5} \times {}_{5}\mathrm{C}_{2} \times {}_{25}\mathrm{C}_{6}$이다.

이때 아래 식에서 괄호에 들어가는 값이 1이 아니라면 (즉, 감독의 경우의 수와 각 방법의 경우의 수가 다르다면) 그 이유를 논하고, 괄호에 들어가야 할 값을 ${}_{n}\mathrm{C}_{r}$ 혹은 ${}_{n}\mathrm{P}_{r}$의 형태로 나타내시오.

$$A \times (\qquad) = P$$
$$A \times (\qquad) = Q$$
$$A \times (\qquad) = R$$

[문제 1]

직선 ℓ이 원에 접하는 점은 $\left(-\dfrac{\sqrt{3}}{2}, \ \dfrac{1}{2} \right)$이므로 직선 ℓ의 방정식은 다음과 같다.

$$\ell : y = \sqrt{3}\,x + 2$$

또한 직선 m과 원이 접하는 점을 $(-\cos\theta, \ -\sin\theta) \left(0 < \theta < \dfrac{\pi}{2} \right)$라고 하면, 직선 m의 방정식은 다음과 같다.

$$m : y = -\dfrac{\cos\theta}{\sin\theta} x - \dfrac{1}{\sin\theta}$$

직선 ℓ과 $y = -1$의 교점을 $\mathrm{H}(-\sqrt{3}, \ -1)$이라고 할 때, 문제에서 요구하는 사각형의 넓이는 직선 ℓ, 직선 $x = 1$, $y = -1$로 이루어지는 삼각형 A의 넓이에서 삼각형 HEG의 넓이를 뺀 것이다. A의 넓이는 고정되어 있으므로, 삼각형 HEG의 넓이를 최대로 하는 직선 m을 구하면 된다.

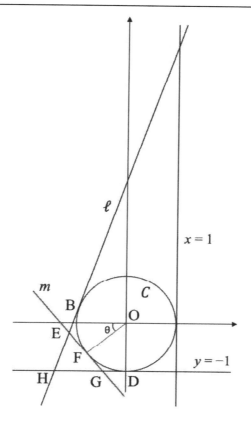

직선 m과 $y=-1$과의 교점은 $\mathrm{G}\!\left(\dfrac{\sin\theta-1}{\cos\theta},\ -1\right)$이다.

직선 m과 직선 $\ell:y=\sqrt{3}\,x+2$과의 교점은 $\mathrm{E}\!\left(\dfrac{-2\sin\theta-1}{\sqrt{3}\,\sin\theta+\cos\theta},\ \dfrac{2\cos\theta-\sqrt{3}}{\sqrt{3}\,\sin\theta+\cos\theta}\right)$이므로,

삼각형 HEG의 밑변과 높이, 그리고 넓이는 다음과 같다.

$$\text{밑변}=\frac{\sin\theta-1}{\cos\theta}+\sqrt{3}$$

$$\text{높이}=\frac{2\cos\theta-\sqrt{3}}{\sqrt{3}\,\sin\theta+\cos\theta}+1$$

$$\text{넓이}\,S=\frac{1}{2}\!\left(\frac{\sin\theta-1}{\cos\theta}+\sqrt{3}\right)\!\left(\frac{2\cos\theta-\sqrt{3}}{\sqrt{3}\,\sin\theta+\cos\theta}+1\right)=\frac{\sqrt{3}}{2}\frac{(\sin\theta+\sqrt{3}\,\cos\theta-1)^2}{\cos\theta(\sqrt{3}\,\sin\theta+\cos\theta)}$$

$$\left(\text{단},\,0<\theta<\frac{\pi}{2}\right)$$

삼각형 HEG의 넓이 S를 θ에 대하여 미분하면, 다음과 같다.

$$S'(\theta)=\frac{\sqrt{3}}{2\cos^2\theta(\sqrt{3}\,\sin\theta+\cos\theta)^2}$$
$$\times[2(\sin\theta+\sqrt{3}\,\cos\theta-1)(\cos\theta-\sqrt{3}\,\sin\theta)\cos\theta(\sqrt{3}\,\sin\theta+\cos\theta)$$
$$-(\sin\theta+\sqrt{3}\,\cos\theta-1)^2(\cos\theta(\sqrt{3}\,\cos\theta-\sin\theta)-\sin\theta(\sqrt{3}\,\sin\theta+\cos\theta))]$$

$$= \frac{\sqrt{3}\,(\sin\theta + \sqrt{3}\cos\theta - 1)}{2\cos^2\theta(\sqrt{3}\sin\theta + \cos\theta)^2}$$
$$\times\,[2(\cos\theta - \sqrt{3}\sin\theta)\cos\theta(\sqrt{3}\sin\theta + \cos\theta)$$
$$-\,(\sin\theta + \sqrt{3}\cos\theta - 1)(\sqrt{3}\cos\theta + \sin\theta)(\cos\theta - \sqrt{3}\sin\theta)]$$

$$= \frac{\sqrt{3}\,(\sin\theta + \sqrt{3}\cos\theta - 1)}{2\cos^2\theta(\sqrt{3}\sin\theta + \cos\theta)^2}(\cos\theta - \sqrt{3}\sin\theta)$$
$$\times\,[2\cos^2\theta(\sqrt{3}\sin\theta + \cos\theta) - (\sin\theta + \sqrt{3}\cos\theta - 1)(\sqrt{3}\cos\theta + \sin\theta)]$$

$$= \frac{\sqrt{3}\,(\sin\theta + \sqrt{3}\cos\theta - 1)^2}{2\cos^2\theta(\sqrt{3}\sin\theta + \cos\theta)^2}(\cos\theta - \sqrt{3}\sin\theta) = \frac{3(\sin\theta + \sqrt{3}\cos\theta - 1)^2}{2\cos\theta(\sqrt{3}\sin\theta + \cos\theta)^2}\left(\frac{1}{\sqrt{3}} - \tan\theta\right)$$

그런데 주어진 구간 $0 < \theta < \dfrac{\pi}{2}$에서 $S > 0$이므로 $\cos\theta > 0$이고 $\sin\theta + \sqrt{3}\cos\theta - 1 \neq 0$이다. 따라서, 도함숫값의 부 호는 오직 $\dfrac{1}{\sqrt{3}} - \tan\theta$에 의해서만 결정된다. 아래의 표와 같이

	$0 < \theta < \dfrac{\pi}{6}$	$\theta = \dfrac{\pi}{6}$	$\dfrac{\pi}{6} < \theta < \dfrac{\pi}{2}$
$S'(\theta)$	$+$	0	$-$

이므로, $\theta = \dfrac{\pi}{6}$일 때 S가 최대(즉, 직선 m, 직선 ℓ, 직선 $y = -1$ 및 직선 $x = 1$로 둘러싸인 사각형의 넓이가 최소)가 되고, 그 때의 직선 m은

$$y = -\frac{\cos\dfrac{\pi}{6}}{\sin\dfrac{\pi}{6}}x - \frac{1}{\sin\dfrac{\pi}{6}} = -\sqrt{3}\,x - 2$$

이다.

[별해]
아래 그림에서 오각형 OBEGD의 넓이 (S)가 최소일 때 구하는 사각형의 넓이가 가장 작아진다. 직각삼각형 OEB, OEF와 직각삼각형 OGD, OGF는 항상 합동이므로
$$\angle\text{BOE} = \angle\text{FOE}, \quad \angle\text{FOG} = \angle\text{DOG}$$
이다. S는 두 삼각형 OEB 와 OGD 넓이의 합의 두 배와 같고 $\angle\text{BOE}$를 θ_1, $\angle\text{FOG}$를 θ_2라고 하면
$$S = 2\tan\theta_1 + 2\tan\theta_2$$
으로 나타낼 수 있다.

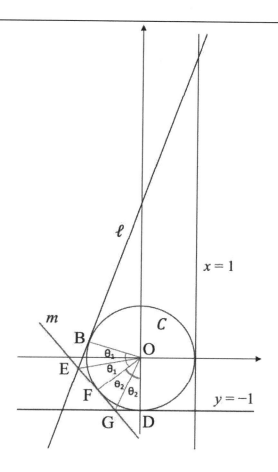

$\angle \text{BOD} = \dfrac{\pi}{6} + \dfrac{\pi}{2} = \dfrac{2\pi}{3} = 2\theta_2 + 2\theta_2$ **이므로**, $\theta_1 + \theta_2 = \dfrac{\pi}{3}$ **이고**

$$S = 2(\tan\theta_1 + \tan\theta_2) = 2\left(\tan\left(\dfrac{\pi}{3} - \theta_2\right) + \tan\theta_2\right) = 2\left(\tan\theta_2 + \dfrac{\sqrt{3} - \tan\theta_2}{1 + \sqrt{3}\tan\theta_2}\right)$$

이다.

S**를** θ_2**에 대해 미분하면 다음과 같다.**

$$\begin{aligned}
\dfrac{dS}{d\theta_2} &= 2\left(\dfrac{1}{\cos^2\theta_2} + \dfrac{-(\sqrt{3}\tan\theta_2 + 1) - (\sqrt{3} - \tan\theta_2)\sqrt{3}}{\cos^2\theta_2(\sqrt{3}\tan\theta_2 + 1)^2}\right) \\
&= 2\left(\dfrac{3\tan^2\theta_2 + 2\sqrt{3}\tan\theta_2 + 1 - \sqrt{3}\tan\theta_2 - 1 - 3 + \sqrt{3}\tan\theta_2}{\cos^2\theta_2(\sqrt{3}\tan\theta_2 + 1)^2}\right) \\
&= 2\left(\dfrac{3\tan^2\theta_2 + 2\sqrt{3}\tan\theta_2 - 3}{\cos^2\theta_2(\sqrt{3}\tan\theta_2 + 1)^2}\right)
\end{aligned}$$

여기서 $0 < \theta_2 < \dfrac{\pi}{3}$**일 때 분자가** 0**이 되는 경우는** $\tan\theta_2 = \dfrac{1}{\sqrt{3}}$**일 때이다.** $0 < \theta_2 < \dfrac{\pi}{3}$ **구간에서** $\dfrac{dS}{d\theta_2}$**의 증감표는 다음과 같다.**

	$0 < \theta_2 < \dfrac{\pi}{6}$	$\theta_2 = \dfrac{\pi}{6}$	$\dfrac{\pi}{6} < \theta_2 < \dfrac{\pi}{3}$
$\dfrac{dS}{d\theta_2}$	$-$	0	$+$

$\theta_2 = \dfrac{\pi}{6}$일 때 S가 최소가 되고 $2\theta_2 = \dfrac{\pi}{3}$이므로 직선 m의 기울기는 $-\sqrt{3}$이 된다. 기울기가 $-\sqrt{3}$이고 원 $x^2 + y^2 = 1$에 접하는 접선의 방정식 중 y절편이 음수인 방정식은 다음과 같다.

$$y = -\sqrt{3}\,x - 2$$

[문제 2]

(2-1) 함수 $g(x) = \cos bx$는 주기가 $2\pi/b$이다. 그러므로 방정식 $g(x) = 0$은 $[0,\ 2\pi/b]$에서 두 개의 해 $2\pi/b \cdot \dfrac{1}{4}, 2\pi/b \cdot \dfrac{3}{4}$를 갖고 $[0,\ 2n\pi/b]$에서 $2n$개의 해를 갖는다. 이 방정식의 $2n-1$, $2n$번째 해는 각각 $2\pi/b \cdot \left(n-1+\dfrac{1}{4}\right), \quad 2\pi/b \cdot \left(n-1+\dfrac{3}{4}\right)$이다.

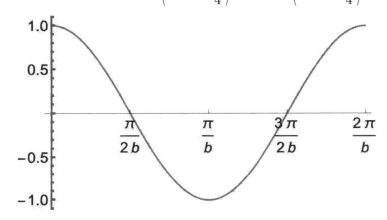

$x > 1$일 때 $y = f(x)$의 그래프는 직선이므로, c와 d가 모두 0이 아닐 때 x축과 만나는 경우, 하나의 교점만 존재한다. 따라서 $f(x) = 0$의 양의 실수해가 11개가 되기 위해서는 $x > 1$에서 1개의 해를 갖고, $x \le 1$에서 10개의 해를 갖거나 $x > 1$에서는 해가 없고 $x \le 1$에서 11개의 해를 가져야 한다.

(a) $x > 1$에서 1개의 해를 갖는 경우:

하나의 해가 $(1,\ \infty)$에 있다면, $\cos bx = 0$의 10번째 해 $2\pi/b(4 + 3/4) = 19\pi/2b$는 $[0,\ 1]$에 있고, 11번째 해 $2\pi/b(5 + 1/4) = 21\pi/2b$가 $(1,\ \infty)$에 있어야 한다. 따라서, $\dfrac{19\pi}{2} \le b < \dfrac{21\pi}{2}$가 성립한다.

이때, $f(x) = 0$는 $x = 1$에서 미분가능하므로, $c = -b\sin b$가 성립한다. 따라서 $f(x)$는 $[1,\ \infty)$에서 $(1,\ \cos b)$를 지나고, 기울기가 $-b\sin b$인 직선이다. 아래의 표를 확인하면,

	$b = \dfrac{19\pi}{2}$	$19\pi < 2b < 20\pi$	$b = 10\pi$	$20\pi < 2b < 21\pi$
$\cos b$	0	+	1	+
$-b\sin b$	b	+	0	−

i) $b = \dfrac{19\pi}{2}$이면 $y = cx + d$는 $(1,\ 0)$을 지나고 기울기가 0이 아닌 직선이므로, $\cos bx = 0$의 10번째 해 $(1,\ 0)$에서 x축과 만난 후 더 이상 x축과 만나지 않는다.

ii) $\dfrac{19\pi}{2} < b \leq 10\pi$이면 $y = cx + d$는 1사분면의 점을 지나고 기울기가 음수가 아닌 직선이므로, x축과 $[1,\ \infty)$에서 만나지 않는다.

iii) $10\pi < b < \dfrac{21\pi}{2}$이면 $y = cx + d$는 1사분면의 점을 지나고 기울기가 음수인 직선이므로, x축과 $[1,\ \infty)$에서 만난다.

따라서 하나의 해가 $(1,\ \infty)$에 있다면 $10\pi < b < \dfrac{21\pi}{2}$이다.

(b) 11개의 해가 모두 $[0,\ 1]$에 있다면, $\cos bx = 0$의 11번째 해 $2\pi/b(5 + 1/4) = 21\pi/2b$가 $[0,\ 1]$에 있어야 하고, 12번째 해 $2\pi/b(5 + 3/4) = 23\pi/2b$는 $(1,\ \infty)$에 있어야 한다. 따라서, $21\pi \leq 2b < 23\pi$가 성립한다.

이때, $f(x) = 0$는 $x = 1$에서 미분가능하므로, $c = -b\sin b$가 성립한다. 따라서 $f(x)$는 $[1,\ \infty)$에서 $(1,\ \cos b)$를 지나고, 기울기가 $-b\sin b$인 직선이다. 아래의 표를 확인하면,

	$b = \dfrac{21\pi}{2}$	$21\pi < 2b < 22\pi$	$b = 11\pi$	$22\pi < 2b < 23\pi$
$\cos b$	0	−	−	−
$-b\sin b$	$-b$	−	0	+

i) $b = \dfrac{21\pi}{2}$이면 $y = cx + d$는 $(1,\ 0)$을 지나고 기울기가 0이 아닌 직선이므로, $\cos bx = 0$의 11번째 해 $(1,\ 0)$에서 x축과 만난 후 더 이상 x축과 만나지 않는다.

ii) $\dfrac{21\pi}{2} < b \leq 11\pi$이면 $y = cx + d$는 4사분면의 점을 지나고 기울기가 양수가 아닌 직선이므로, x축과 $[1,\ \infty)$에서 만나지 않는다.

iii) $11\pi < b < \dfrac{23\pi}{2}$이면 $y = cx + d$는 4사분면의 점을 지나고 기울기가 양수인 직선이므로, x축과 $[1,\ \infty)$에서 만난다.

따라서, $\dfrac{21\pi}{2} \leq b \leq 11\pi$여야 한다.

위의 두 결과를 종합하면, $10\pi < b \leq 11\pi$이다.

(2−2) $f(x)$는 $x=1$에서 연속이므로, $c+d=\cos b$이다.

$c=-b\sin b$이므로, $d=-c+\cos b=b\sin b+\cos b$이다.

$10\pi<t\le 11\pi$일 때 $g(t)=t\sin t+\cos t$의 도함수는 $g'(t)=\sin t+t\cos t-\sin t=t\cos t$이다.

	$10\pi<t<\dfrac{21\pi}{2}$	$t=\dfrac{21\pi}{2}$	$\dfrac{21\pi}{2}<b\le 11\pi$
$g'(t)$	+	0	−
$g(t)$	증가		감소

따라서, $t=\dfrac{21\pi}{2}$일 때 d의 값이 최대이고, 그 최댓값은 $\dfrac{21\pi}{2}$이다.

[문제 3]

함수 $f(x)$의 역함수가 존재하기 위해서는 $f(x)$가 증가함수이거나 감소함수여야 하는데, $\lim\limits_{x\to +0}f(x)=\infty$이고 $\lim\limits_{x\to\infty}f(x)=-\infty$이므로 $f(x)$는 감소함수이어야 한다.

$x>0$에서 $f(x)$가 감소함수이기 위해서는 $f'(x)=\dfrac{-4x^2+bx-1}{x}\le 0$ 이어야 하고,

$x>0$이므로 $-4x^2+bx-1=-4\left(x-\dfrac{b}{8}\right)^2+\dfrac{b^2}{16}-1\le 0$이어야 한다.

ㄱ) $b\le 0$인 경우: $-4x^2+bx-1$이 $x>0$에서 감소하고 $\lim\limits_{x\to +0}(-4x^2+bx-1)=-1$이므로 이 영역에서 $-4x^2+bx-1\le 0$이고 $f(x)$는 감소함수이다.

ㄴ) $b>0$인 경우: $-4x^2+bx-1$이 $x=\dfrac{b}{8}$에서 최대값 $\dfrac{b^2}{16}-1$을 가지므로, 모든 양수 x에 대하여 $-4x^2+bx-1\le 0$이려면 $\dfrac{b^2}{16}-1\le 0$, 즉 $0<b\le 4$이어야 한다.

ㄱ)과 ㄴ)에 의하여 함수 $f(x)$의 역함수가 존재할 조건은 $b\le 4$이다.
그런데

$$\int_1^2 f(x)dx=\int_1^2\left(-2x^2+bx+2\ln 2-\ln x\right)dx=\left[-\dfrac{2x^3}{3}+\dfrac{bx^2}{2}+(2\ln 2)x-x\ln x+x\right]_1^2$$

$$=-\dfrac{16}{3}+\dfrac{2}{3}+b\left(2-\dfrac{1}{2}\right)+2\ln 2-2\ln 2+1=\dfrac{3b}{2}-\dfrac{11}{3}$$

이므로, 이 적분값은 $b=4$일 때 최대값 $\dfrac{7}{3}$을 갖는다.

[문제 4]

감독이 생각한 경우의 수는 $A = {}_{30}\mathrm{C}_{11} \times {}_{11}\mathrm{C}_2 = \dfrac{30!}{11!19!} \times \dfrac{11!}{2!9!} = \dfrac{30!}{2!9!19!}$이다.

방법1의 경우의 수는 $P = {}_{30}\mathrm{C}_2 \times {}_{28}\mathrm{C}_9 = \dfrac{30!}{2!28!} \times \dfrac{28!}{9!19!} = \dfrac{30!}{2!9!19!}$이므로 방법 1과 감독의 경우의 수와 같다.

방법2의 경우의 수는 $Q = {}_{30}\mathrm{C}_1 \times {}_{29}\mathrm{C}_{10} \times {}_{10}\mathrm{C}_1 = \dfrac{30!}{1!29!} \times \dfrac{29!}{10!19!} \times \dfrac{10!}{1!9!} = \dfrac{30!}{9!19!}$

이므로 방법 2와 감독의 경우의 수는 다르고, $A \times \dfrac{2!}{1!1!} = A \times {}_2\mathrm{C}_1 = Q$이다. 이는 방법 2로 선수를 선발하는 경우, 처음 지명된 리더와 마지막에 지명된 리더의 순서를 구분하므로 같은 구성을 두 번씩 세기 때문이며, ${}_2\mathrm{C}_1$은 두 리더 중 하나가 첫 번째로 뽑히는 경우의 수이다.

방법3의 경우의 수는 $R = {}_{30}\mathrm{C}_5 \times {}_5\mathrm{C}_2 \times {}_{25}\mathrm{C}_6 = \dfrac{30!}{5!25!} \times \dfrac{5!}{2!3!} \times \dfrac{25!}{6!19!} = \dfrac{30!}{2!3!6!19!}$이므로 방법

3과 감독의 경우의 수는 다르고, $A \times \dfrac{9!}{3!6!} = A \times {}_9\mathrm{C}_3 = R$이다. 이는 리더가 아닌 선수 9명이 처음에 뽑힌 집단과 나중에 뽑힌 집단으로 구분되어 같은 구성을 ${}_9\mathrm{C}_3 = 84$번 중복해서 세기 때문이며, ${}_9\mathrm{C}_3$은 리더가 아닌 9명의 선수들 중 3명이 첫 번째로 뽑히는 경우의 수이다.

3. 2023학년도 숭실대 수시 논술 (자연 1)

[문제 1] 다음 네 조건을 만족시키는 함수 (x)의 개수를 구하고, 그 함수를 모두 찾으시오.

(i) $f(x) = x^3 + ax^2 + bx + c$ (단, a, b, c는 실수)

(ii) 곡선 $y = f(x)$와 x축은 서로 다른 세 점 $\mathrm{A}(2 - \sqrt{5}, 0)$, $\mathrm{B}(2 + \sqrt{5}, 0)$, $\mathrm{C}(\gamma, 0)$에서 만난다.

(iii) 곡선 $y = f(x)$의 변곡점 P의 x좌표는 양의 정수이다.

(iv) 원점 O에 대하여 삼각형 OPB와 삼각형 OPC는 모두 예각삼각형이다. (단, 예각삼각형은 모든 각의 크기가 $\dfrac{\pi}{2}$보다 작은 삼각형이다.)

[문제 2] 좌표평면 위의 점 P가 다음 조건을 모두 만족시키며 움직인다고 하자.

(i) 시각 $t = 0$에서의 점 P의 위치는 $(0, h)$이며 $0 \leq h \leq 1$이다.

(ii) 점 P는 시각 t에서 속력 $v(t) = t$로 x축과 평행한 직선 위를 움직이다가 곡선 $y = \sqrt{-x^2 + 2x}$ $(1 \leq x \leq 2)$를 만나면 곡선을 따라 일정한 속력 $\sqrt{3}$으로 움직인다.

(iii) 시각 t에서의 점 P의 x좌표 $x(t)$는 $t_1 < t_2$일 때 $x(t_1) < x(t_2)$이다.

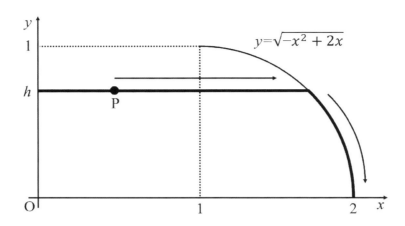

점 P가 점 $(0, h)$에서 점 $(2, 0)$까지 이동하는데 걸리는 시간이 최대가 되도록 하는 h를 구하시오

[문제 3]

혜성과 혜성을 관측하기 위한 우주선의 위치를 좌표평면 위에서 나타낼 수 있다고 하자. 시각 t에서의 혜성의 위치 (x, y)가 $x = 2\sqrt{2}t - 4\sqrt{2}$, $y = t^2 - 2t + 3$으로 주어져 있다. 우주선은 직선 $\ell : y = \sqrt{2}x - 1$ 위를 움직이며, 시각 t에서의 우주선의 속도는 $(\sqrt{2}, 2)$로 주어진다고 하자. 직선 ℓ과 혜성이 움직이는 곡선은 서로 만나지 않는다.

이때 다음 문항에 답하시오. (단, 혜성과 우주선의 크기는 무시한다.)

(1) 시각 $t = 0$에서의 우주선의 위치가 $(-2\sqrt{2}, -5)$라고 하자. 이때 혜성과 우주선 사이의 거리가 최소가 되는 시각 t와, 그 때의 혜성과 우주선 사이의 거리를 구하시오.

(2) 이번에는 시각 $t = 0$에서의 우주선의 위치를 직선 ℓ 위에서 조정하여 혜성을 더 가까운 거리에서 관측하려고 한다.
혜성과 우주선이 가장 가까워질 수 있도록 하는 시각 $t = 0$에서의 우주선의 위치와, 이때 혜성과 우주선이 가장 가까워지는 시각 t를 구하시오.

[문제 4]

함수 $g(x)$는 $x \leq 0$에서 정의된 연속함수이며, 일반항이 $a_n = n(n-1)$인 수열 $\{a_n\}$과 $S_n = \sum_{i=1}^{n} a_i$에 대하여 함수 $f(x)$가 다음 조건을 모두 만족시키는 연속함수라고 하자.

(i) $x \leq 0$일 때 $f(x) = g(x)$

(ii) 1보다 크거나 같은 정수 n에 대하여 $n - 1 \ x < n$일 때
$$f(x) = g(-S_n + (n-1-x)a_{n+1})$$

(iii) 2보다 크거나 같은 정수 n에 대하여 $\displaystyle\int_0^{a_n} f(x - S_n)dx = 1$

이때 다음 문항에 답하시오.

(1) 2보다 크거나 같은 정수 n에 대하여 정적분 $\displaystyle\int_{-S_{n-1}}^{-S_n} g(x)dx$의 값을 구하시오.

(2) 정적분 $\displaystyle\int_0^{2023} f(x)dx$의 값을 구하시오.

[문제 1]

방정식 $f(x)=0$의 해를 $\alpha=2-\sqrt{5}$, $\beta=2+\sqrt{5}$, γ라 하면 $f(x)$는 다음과 같이 나타낼 수 있다.
$$f(x)=(x-\alpha)(x-\beta)(x-\gamma)=x^3-(\alpha+\beta+\gamma)x^2+(\alpha\beta+\beta\gamma+\gamma\alpha)x-\alpha\beta\gamma$$
변곡점 P를 찾기 위하여 함수 $f(x)$의 이계도함수를 구하면 다음과 같다.
$$f'(x)=3x^2-2(\alpha+\beta+\gamma)x+\alpha\beta+\beta\gamma+\gamma\alpha$$
$$f''(x)=6x-2(\alpha+\beta+\gamma)$$
그러므로 곡선 $y=f(x)$의 변곡점의 x좌표를 p라고 하면, $p=\dfrac{\alpha+\beta+\gamma}{3}=\dfrac{4+\gamma}{3}$이다. 조건 (iii)에 의하여 $p=\dfrac{4+\gamma}{3}$가 양의 정수여야 한다.

1) $p=1$일 때 $\gamma=-1$이다. 이때 $f(x)=(x-2+\sqrt{5})(x-2-\sqrt{5})(x+1)$이므로 점 P의 좌표는 $(1,\ -8)$이고 점 C의 좌표는 $(-1,\ 0)$이다. 점 P의 x좌표가 원점과 점 C의 x좌표보다 크므로 각 COP는 $\dfrac{\pi}{2}$보다 크게 되어 $\triangle$OCP는 둔각삼각형이 된다.

따라서 $f(x)=(x-2+\sqrt{5})(x-2-\sqrt{5})(x+1)$는 조건 (iv)를 만족시키지 못한다.

2) $p=2$일 때 $\gamma=2$이다. 이때 $f(x)=(x-2+\sqrt{5})(x-2-\sqrt{5})(x-2)$이므로 점 P의 좌표는 $(2,\ 0)$이고 점 C의 좌표는 $(2,\ 0)$이다. 따라서 점 O, 점 P, 점 B, 점 C는 모두 x축 위에 있으므로 예각삼각형을 이루지 못한다.

3) $p=3$일 때 $\gamma=5$이다. 이때 $f(x)=(x-2+\sqrt{5})(x-2-\sqrt{5})(x-5)$이므로 점 P의 좌표는 $(3,\ 8)$이고 점 C의 좌표는 $(5,\ 0)$이다.

$\triangle$POC의 변의 길이의 제곱은 각각 다음과 같다.
$$\overline{OP}^2=3^2+8^2=73$$
$$\overline{PC}^2=2^2+8^2=68$$
$$\overline{OC}^2=5^2=25$$
이때 가장 긴 변의 길이는 $\overline{OP}$이고 $\overline{OP}^2<\overline{PC}^2+\overline{OC}^2$이므로 $\triangle$POC는 예각삼각형이다. 각 OPB는 각 OPC보다 작고, 점 P의 x좌표가 원점의 x좌표보다 크고 점 B의 x좌표 $2+\sqrt{5}$보다 작으므로 $\triangle$OPB는 예각삼각형이다.

따라서 $f(x)=(x-2+\sqrt{5})(x-2-\sqrt{5})(x-5)$는 조건 (iv)를 만족시킨다.

4) $p=4$일 때 $\gamma=8$이다. 이때 $f(x)=(x-2+\sqrt{5})(x-2-\sqrt{5})(x-8)$이므로 점 P의 좌표는 $(4,\ 4)$이고 점 C의 좌표는 $(8,\ 0)$이다.

$\triangle$OPC의 변의 길이의 제곱은 각각 다음과 같다.

$$\overline{OP}^2 = 4^2 + 4^2 = 32$$
$$\overline{PC}^2 = 4^2 + 4^2 = 32$$
$$\overline{OC}^2 = 8^2 = 64$$

이때 가장 긴 변의 길이는 $\overline{OC}$이고 $\overline{OC}^2 = \overline{PC}^2 + \overline{OP}^2$이므로 $\triangle$POC는 직각삼각형이다. 따라서 $f(x) = (x-2+\sqrt{5})(x-2-\sqrt{5})(x-8)$는 조건 (iv)를 만족시키지 못한다.

5) $p \geq 5$이면 점 P의 x좌표가 원점과 점 B의 x좌표보다 크다. 따라서 각 OBP는 $\dfrac{\pi}{2}$보다 크게 되어 $\triangle$OBP는 둔각삼각형이 된다. 이 경우 함수 $f(x)$는 조건 (iv)를 만족시키지 못한다.

1)~5)로부터 문제의 조건을 모두 만족하는 삼차함수 $f(x)$는 1개이고 이때 함수 $f(x)$는 다음과 같다.

$$f(x) = (x-2+\sqrt{5})(x-2-\sqrt{5})(x-5) = x^2-4x-1)x-5) = x^3-9x^2+19x+5$$

[문제 2]

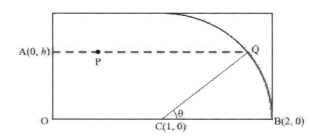

위의 그림과 같이 시각 $t=0$에서의 점 P의 위치를 A로 나타내고 곡선 $y = \sqrt{-x+2x}$를 만날 때의 점 P의 위치를 Q로 나타내자.

$1 \leq x \leq 2$일 때 곡선 $y = \sqrt{-x^2+2x}$은 중심이 C(1, 0)이고 반지름이 1인 원의 일부이므로, 위의 그림에서 $\angle$QCB$= \theta$이면 Q$= (1+\cos\theta, \ \sin\theta)$이다.

점 P가 곡선 $y = \sqrt{-x^2+2x}$를 만날 때의 시각을 T라고 하면, 조건 (ii)에 의하여 $0 \leq t \leq T$일 때 시각 t에서의 점 P의 x좌표는 $x_0 + \displaystyle\int_0^t u\,du$인데 $x_0 = 0$이므로 $\dfrac{t^2}{2}$이다.

따라서 점 P의 시각 t에서의 위치는 $\left(\dfrac{t^2}{2}, \ h\right)$이고 $h = \sin\theta$이다.

또한 $\dfrac{T^2}{2} = 1+\cos\theta$로부터 $T = 2(1+\cos\theta)$이다.

점 P는 점 Q로부터 (2, 0)까지 곡선 $y = \sqrt{-x^2+2x}$ 위를 속력 $\sqrt{3}$으로 움직이는데 이때 점 P가 움직이는 거리는 $r\theta = \theta$이므로 곡선 $y = \sqrt{-x^2+2x}$를 움직이는데 걸리는 시간은 $\dfrac{\theta}{\sqrt{3}}$이다.

따라서 점 P가 $(0,\ h)=(0,\ \sin\theta)$를 출발하여 $(2,\ 0)$에 도착하는데 걸리는 시간 $t(\theta)$와 $t(\theta)$의 도함수 및 이계도함수는 각각 다음과 같다.

$$t(\theta)=\sqrt{2+2\cos\theta}+\frac{\theta}{\sqrt{3}}$$

$$t'(\theta)=\frac{\sin\theta}{\sqrt{2+2\cos\theta}}+\frac{1}{\sqrt{3}}$$

$$t''(\theta)=-\frac{\sqrt{2(1+\cos\theta)}}{4}$$

$\theta=\theta_1$에서 함수 $t(\theta)$가 극값을 가질 때 $t'(\theta_1)=0$이므로

$$\frac{\sin\theta_1}{\sqrt{2+2\cos\theta}}=\frac{1}{\sqrt{3}},\ \frac{\sin^2\theta_1}{2+2\cos\theta_1}=\frac{1-\cos^2\theta_1}{2(1+\cos\theta_1)}$$

$0\le\theta_1\le\frac{\pi}{2}$이므로 $1+\cos\theta_1\ne 0$이고 $\frac{1-\cos\theta_1}{2}=\frac{1}{3}$

이로부터 $\cos\theta_1=\frac{1}{3}$이고 $\sin\theta_1=\frac{2\sqrt{2}}{3}$이다. 이때 $t(\theta_1)$은 $0\le\theta\le\frac{\pi}{2}$에서 유일한 극값이고, $t''(\theta_1)<0$이므로 $t(\theta_1)$은 극댓값이다.

그러므로 $t(\theta)$는 $\theta=\theta_1$에서 최댓값을 가지고 이때 $h=\sin\theta_1=\frac{2\sqrt{2}}{3}$이다.

[문제 3]

(1) 우주선의 시각 t에서의 위치는 $x=\sqrt{2}t-2\sqrt{2},\ y=2t-5$이다.

시각 t에서 우주선과 혜성 사이의 거리를 $r(t)$라고 할 때

$$(r(t))^2=2(t-2)^2+(t^2-4t+8)^2$$

$s(t)=(r(t))^2$이라고 하고 함수 $s(t)$의 도함수를 구하자.

$$s'(t)=4(t-2)+2(t^2-4t+8)(2t-4)=4(t-2)(t^2-4t+9)$$

이로부터 함수 $s(t)$의 증감을 표로 나타내면 다음과 같다.

x	$\cdots$	2	$\cdots$
$s'(t)$	$-$	0	$+$
$s(t)$	$\searrow$	16	$\nearrow$

그러므로 함수 $s(t)$는 $t=2$에서 최솟값 16을 가지고, 이때 $r(2)=4$이다.

즉, 혜성과 우주선 사이의 거리가 최소가 되는 시각은 $t=2$이고 그 때의 혜성과 우주선 사이의 거리는 4이다.

(2) 혜성을 가능한 가장 가까운 거리에서 관측하기 위해서는 혜성이 움직이는 곡선 C의 점과 우주선이 움직이는 직선 ℓ 위의 점 중 가장 가까운 두 점을 혜성과 우주선이 각각 같은 시각에 지나야 한다.

 우주선이 움직이는 직선의 기울기는 $\sqrt{2}$이므로 곡선 C 위의 점 중 직선 ℓ과 가장 가까운

점을 P라고 할 때, 곡선 C 위의 점 P에서 접하는 접선의 기울기는 $\sqrt{2}$이다. 매개변수로 나타낸 함수의 미분법에 의하여 곡선 C 위의 시각 t에서의 점에서 접하는 접선의 기울기 $\dfrac{dy}{dx}$는

$$\frac{dy}{dx} = \frac{\dfrac{dy}{dt}}{\dfrac{dx}{dt}} = \frac{2t-2}{2\sqrt{2}}$$

따라서 $\dfrac{dy}{dx} = \sqrt{2}$일 때, 즉 $t=3$일 때 곡선 C 위의 점 P와 직선 ℓ사이의 거리가 최솟값이 된다.

$t=3$일 때의 혜성의 위치는 $\mathrm{P}(2\sqrt{2},\ 6)$이다. 점 P에서 직선 ℓ에 내린 수선을 직선 ℓ'이라고 할 때 직선 ℓ'은 기울기가 $-\dfrac{1}{\sqrt{2}}$이고 점 $\mathrm{P}(2\sqrt{2},\ 6)$를 지나는 직선이다.

$$\ell' : y = -\frac{1}{\sqrt{2}}(x - 2\sqrt{2}) + 6 = -\frac{1}{\sqrt{2}}x + 8,$$

직선 ℓ과 ℓ'의 교점 Q의 위치를 일차연립방정식으로 계산하면 $\mathrm{Q}(3\sqrt{2},\ 5)$이다.

시각 $t=0$일 때의 우주선의 위치를 $\left(x_0,\ \sqrt{2}\,x_0 - 1\right)$이라고 하면 시각 t에서의 우주선의 위치를

$$x = \sqrt{2}\,t + x_0, \quad y = 2t + \sqrt{2}\,x_0 - 1$$

로 놓을 수 있다.

$t=3$일 때 우주선이 점 $\mathrm{Q}(3\sqrt{2},\ 5)$를 지나야 하므로,

$$3\sqrt{2} = 3\sqrt{2} + x_0, \quad 5 = 6 + \sqrt{2}\,x_0 - 1$$

따라서 $t=0$일 때 $x_0 = 0$이고 우주선의 위치는 $(0,\ -1)$이다.

※ (2)번의 다른 풀이
혜성을 가능한 가장 가까운 거리에서 관측하기 위해서는 혜성이 움직이는 곡선 C 위의 점과 우주선이 움직이는 직선 ℓ 위의 점 중 가장 가까운 두 점을 혜성과 우주선이 각각 같은 시각에 지나야 한다.

 우주선이 움직이는 직선의 기울기는 $\sqrt{2}$이므로 곡선 C 위의 점 중 직선 ℓ과 가장 가까운 점을 P라고 할 때, 곡선 C 위의 점 P에서 접하는 접선의 기울기는 $\sqrt{2}$이다. 매개변수로 나타낸 함수의 미분법에 의하여 곡선 C 위의 시각 t에서의 점에서 접하는 접선의 기울기 $\dfrac{dy}{dx}$는

$$\frac{dy}{dx} = \frac{\dfrac{dy}{dt}}{\dfrac{dx}{dt}} = \frac{2t-2}{2\sqrt{2}}$$

따라서 $\dfrac{dy}{dx}=\sqrt{2}$일 때, 즉 $t=3$일 때 곡선 C 위의 점 P와 직선 ℓ 사이의 거리가 최솟값이 된다.

시각 $t=0$에서의 우주선의 위치를 $(a,\ \sqrt{2}a-1)$이라고 하면 시각 t에서의 우주선의 위치는 $(\sqrt{2}t+a,\ 2t+\sqrt{2}a-1)$이다. 시각 t에서 혜성과 우주선 사이의 거리를 $r(t)$라고 할 때

$$(r(t))^2=(2\sqrt{2}t-4\sqrt{2}-\sqrt{2}t-a)^2+(t^2-2t+3-2t-\sqrt{2}a+1)^2$$
$$=(\sqrt{2}t-4\sqrt{2}-a)^2+(t^2-4t+4-\sqrt{2}a)^2$$

$s(t)=(r(t))^2$이라고 할 때 함수 $s(t)$는 $t=3$에서 최솟값을 가져야 하므로 $s'(3)=0$이다.

$$s'(t)=2\sqrt{2}(\sqrt{2}t-4\sqrt{2}-a)+2(t^2-4t+4-\sqrt{2}a)(2t-4)$$

$s'(3)=0$이기 위해서는

$$-3\sqrt{2}a=0$$

따라서 $a=0$이고, 시각 $t=0$에서의 우주선의 위치는

$$x=0,\ y=-1$$

[문제 4]

(1) $t=x-S_n$으로 치환하면 $\displaystyle\int_0^{a_n}f(x-S_n)dx=\int_{-S_n}^{-S_n+a_n}f(t)dt$이고, $-S_n+a_n=-S_{n-1}$이므로

$$\int_{-S_n}^{-S_n+a_n}f(t)dt=\int_{-S_n}^{-S_{n-1}}f(t)dt$$

a_n은 모두 0보다 크거나 같으므로 $-S_n\le 0$이다. 조건 (ⅰ)에 의하여

$$\int_{-S_n}^{-S_{n-1}}f(t)dt=\int_{-S_n}^{-S_{n-1}}g(t)dt$$

따라서

$$\int_{-S_n}^{-S_{n-1}}g(x)dx=\int_0^{a_n}f(x-S_n)dx=1,$$

$$\int_{-S_{n-1}}^{-S_n}g(x)dx=-1$$

(2) 정적분의 성질에 의하여

$$\int_0^{2023}f(x)dx=\sum_{n=1}^{2023}\int_{n-1}^n f(x)dx$$

n이 1보다 크거나 같은 정수일 때

$$\int_{n-1}^n f(x)dx=\int_{n-1}^n g(-S_n+(n-1-x)a_{n+1})dx$$

$t=-S_n+(n-1-x)a_{n+1}$라고 두면

$$\int_{n-1}^{n} f(x)dx = \int_{n-1}^{n} g\left(-S_n + (n-1-x)a_{n+1}\right)dx$$

$$= \int_{-S_n}^{-S_n-a_{n+1}} \left(-\frac{g(t)}{a_{n+1}}\right)dt$$

$$= \int_{-S_n-a_{n+1}}^{-S_n} \frac{g(t)}{a_{n+1}}dt$$

그런데 $-S_n - a_{n+1} = -S_{n+1}$이고 $n \geq 2$일 때 문항 (1)의 결과에 의하여

$\int_{-S_n}^{-S_{n-1}} g(t)dt = 1$이므로, n 1일 때 $\int_{-S_{n+1}}^{-S_n} g(t)dt = 1$이다.

그러므로

$$\int_{-S_n-a_{n+1}}^{-S_n} \frac{g(t)}{a_{n+1}}dt = \frac{1}{a_{n+1}} \int_{-S_{n+1}}^{-S_n} g(t)dt = \frac{1}{a_{n+1}}$$

따라서

$$\int_{n-1}^{n} f(x)dx = \frac{1}{a_{n+1}} = \frac{1}{n(n+1)} = \frac{1}{n} - \frac{1}{n+1}$$

이고,

$$\int_{0}^{2023} f(x)dx = \sum_{n=1}^{2023} \int_{n-1}^{n} f(x)dx = \sum_{n=1}^{2023}\left(\frac{1}{n} - \frac{1}{n+1}\right)$$
$$= 1 - \frac{1}{2024} = \frac{2023}{2024}$$

4. 2023학년도 숭실대 수시 논술 (자연 2)

[문제 1]

다음 조건을 모두 만족시키는 삼각형의 넓이의 최댓값을 구하시오.

(i) 실수 m에 대하여 두 직선 $x + 2my = 0$과 $2mx - y - 2m = 0$의 교점을 P_m이라고 할 때, 서로 다른 세 실수 m_1, m_2, m_3에 대하여 P_{m_1}, P_{m_2}, P_{m_3}을 꼭짓점으로 갖는다.

(ii) 한 각의 크기는 $\frac{\pi}{6}$이다.

[문제 2]

실수 k에 대하여 방정식 $\frac{|2x|}{x^2+1} = k$의 서로 다른 실수해의 개수를 $f(k)$라고 하자.

이때 다음 문항에 답하시오.

(1) 함수 $f(k)$의 그래프를 그리시오.

(2) 다음 조건을 모두 만족시키는 함수 $g(x)$에 대하여 항상 $g(0) > c$가 되도록 하는 실수 c 중 가장 큰 값을 구하시오.

（ⅰ）함수 $g(x)$는 최고차항의 계수가 1인 사차함수이다.

（ⅱ）모든 정수 n에 대하여 $g(n) \geq 0$이다.

（ⅲ）합성함수 $g \circ f$는 실수 전체에서 연속이다.

（ⅳ）함수 $h(x) = [x]$에 대하여 합성함수 $f \circ g \circ h$는 실수 전체에서 연속이다. （단, 실수 x에 대하여 $[x]$는 x보다 크지 않은 정수 중 가장 큰 정수이다.）

[문제 3]

오른쪽 그림과 같이 높이가 12인 용기가 있다. 이 용기를 밑면에 평행한 평면으로 자른 단면은 원이며, 밑면으로부터 높이가 x인 지점에서 단면의 반지름 $R(x)$는 다음과 같이 주어져 있다.

$$R(x) = \begin{cases} \sqrt{\dfrac{8-x}{2}+1} & (0 \leq x \leq 8) \\ \sqrt{x-7} & (8 \leq x \leq 12) \end{cases}$$

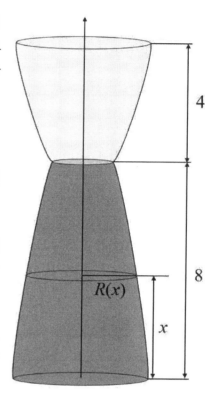

용기의 높이가 $0 \leq x \leq 8$인 부분과 $8 \leq x \leq 12$인 부분에는 각각 물과 기름이 가득 차 있다.

이제 용기의 바닥, 즉 높이 $x=0$인 부분에 구멍을 뚫어 천천히 물을 용기 밖으로 내보낸다고 하자. 물을 내보냄에 따라 기름층도 아래로 이동하면서 기름층의 두께가 변하게 된다.

（단, 기름층의 두께는 기름층의 윗면의 높이와 아랫면의 높이의 차이를 의미한다. 기름과 물은 항상 위와 아래로 분리되어 층을 이루며 기름층의 윗면과 아랫면은 항상 밑면과 평행하다고 가정하자.）

이때 기름층 두께의 최댓값을 구하시오.

[문제 4]

점 P가 직선 ℓ 위의 한 점 R까지 가장 빨리 도착할 때 점 Q의 좌표는 $(1, 2)$라고 하자. 이때 다음 문항에 답하시오.

(1) $\theta = \angle OQR$일 때 $\tan\theta$의 값을 구하시오. （단, $0 \leq \theta \leq \pi$）

(2) a를 구하시오.

[문제 1]

직선 $\ell : x + 2my = 0$과 $\ell' : 2mx - y - 2m = 0$은 m과 관계없이 각각 점 $(0, 0)$과 점 $(1, 0)$을 지나는 직선이다. $m \neq 0$인 경우 직선 ℓ과 ℓ'의 기울기는 각각 $-\dfrac{1}{2m}$과 $2m$이므

로 두 직선은 항상 수직으로 만난다. $m=0$인 경우 직선 ℓ과 ℓ'은 각각 y축, x축이므로 역시 수직으로 만난다. 따라서 실수 m에 대하여 두 직선 ℓ과 ℓ'의 교점 $\mathrm{P_m}$은 점 $(0, 0)$과 점 $(1, 0)$을 이은 선분을 지름으로 하는 원 위에 있게 된다.

서로 다른 세 실수 m_1, m_2, m_3으로부터 얻어진 세 점 P_{m_1}, P_{m_2}, P_{m_3}을 각각 A, B, C로 나타내자. 삼각형 ABC의 외접원은 점 $(0, 0)$과 점 $(1, 0)$을 이은 선분을 지름으로 하는 원이므로 사인법칙을 이용하면

$$\frac{a}{\sin A}=2R=1$$

$A=\dfrac{\pi}{6}$이면 $a=\sin A=\dfrac{1}{2}$이다. 그러므로 조건을 만족시키는 삼각형은 반지름 $\dfrac{1}{2}$인 원에 내접하고 변 BC의 길이 a가 $\dfrac{1}{2}$인 삼각형이다.

이러한 삼각형의 넓이가 최대가 되기 위해서는 변 BC로부터 거리가 최대가 되는 원 위의 점이 삼각형의 나머지 한 점 A가 되어야 하고, 이때 삼각형 ABC는 이등변삼각형이다.

밑변 BC의 길이가 $\dfrac{1}{2}$이고 각 A가 $\dfrac{\pi}{6}$인 이등변삼각형의 높이는 $\dfrac{\tan\dfrac{5\pi}{12}}{4}$이다.

삼각함수의 덧셈정리에 의하여

$$\tan\frac{5\pi}{12}=\tan\left(\frac{\pi}{6}+\frac{\pi}{4}\right)=\frac{\tan\dfrac{\pi}{6}+\tan\dfrac{\pi}{4}}{1-\tan\dfrac{\pi}{6}\tan\dfrac{\pi}{4}}$$

$$=2+\sqrt{3}$$

따라서 조건을 만족시키는 삼각형의 넓이의 최댓값은 $\dfrac{2+\sqrt{3}}{16}$이다.

[문제 2]

$y=\dfrac{|2x|}{x^2+1}$의 그래프는 다음과 같다.

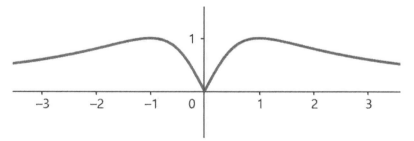

$p(x)=\dfrac{|2x|}{x^2+1}$은 $x=1$과 $x=-1$에서 최댓값 1을 가지고, $x\to\infty$ 혹은 $x\to-\infty$일 때 0으로 수렴한다. 따라서 함수 $f(k)$와 그래프는 각각 다음과 같다.

$$f(k) = \begin{cases} 0 & k < 0 \\ 1 & k = 0 \\ 4 & 0 < k < 1 \\ 2 & k = 1 \\ 0 & k > 1 \end{cases}$$

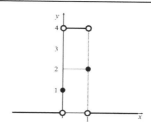

(2) 함수 $g(x)$가 조건 (iii)을 만족시키면, 즉 함수 $(g \circ f)(x)$가 모든 실수에서 연속이면 $x = 0$에서도 연속이다. 따라서

$$\lim_{x \to 0+} (g \circ f)(x) = \lim_{x \to 0-} (g \circ f)(x) = (g \circ f)(0),$$

$$\lim_{x \to 0+} (g \circ f)(x) = g(4),$$

$$\lim_{x \to 0-} (g \circ f)(x) = g(0),$$

$$(g \circ f)(0) = g(1)$$

이므로

$$g(0) = g(1) = g(4)$$

마찬가지로 함수 $(g \circ f)(x)$는 $x = 1$에서 연속이므로

$$\lim_{x \to 1+} (g \circ f)(x) = \lim_{x \to 1-} (g \circ f)(x) = (g \circ f)(1)$$

$$\lim_{x \to 1+} (g \circ f)(x) = g(0),$$

$$\lim_{x \to 1-} (g \circ f)(x) = g(4),$$

$$(g \circ f)(1) = g(2)$$

이로부터 $(0) = g(2) = g(4)$를 얻을 수 있고, $g(0) = g(1) = g(2) = g(4)$이다.

조건 (i)과 (iii)을 만족시키는 함수 $g(x)$는 실수 a에 대하여

$$g(x) = x(x-1)(x-2)(x-4) + a$$

함수 $g(x)$가 조건 (iv)를 만족시킨다면, 즉 함수 $(f \circ g \circ h)(x)$가 모든 실수에서 연속이면 n이 정수일 때 $x = n$에서도 연속이다.

$$\lim_{x \to n-} (f \circ g \circ h)(x) = f(g(n-1)), \quad \lim_{x \to n+} (f \circ g \circ h)(x) = f(g(n))$$

그러므로 $f(g(n-1)) = f(g(n))$, 즉 $f(g(n))$의 값이 모든 정수 n에 대하여 같다.

함수 $g(x)$가 조건 (i)을 만족시키는 함수라면 $g(m) > 1$인 정수 m이 항상 존재하고 이때 $f(g(m)) = 0$이다. 함수 $g(x)$가 조건 (ii)를 만족시키고 $g(m') \leq 1$인 정수 m'이 존재하는 함수이면 $0 \leq g(m') \leq 1$이기 때문에 $f(g(m')) = 1$, 2 혹은 4가 되고, $f(g(m)) \neq f(g(m'))$이 된다. 이때 $(f \circ g \circ h)(x) = 0$이다.

그러므로 조건 (i), (ii), (iii), (iv)를 만족시키는 함수 $g(x)$는 다음과 같다.

$$g(x) = x(x-1)(x-2)(x-4) + a, \quad n \text{이 정수일 때 } g(n) > 1$$

함수 $g(x) = x(x-1)(x-2)(x-4)+a$의 그래프의 개형으로부터 함수 $g(x)$의 정수에서의 함숫값 중 가장 작은 값은 $g(3)$임을 알 수 있다. 따라서 모든 정수 n에 대하여 $g(n) > 1$인 것은 $g(3) > 1$과 동치이다.

$$g(3) = 3 \cdot 2 \cdot 1 \cdot (-1) + a = a - 6 > 1, \quad a = g(0) > 7$$

그러므로 실수 c가 문제의 조건을 만족시키는 모든 함수 $g(x)$에 대하여 $g(0) > c$를 만족시키기 위해서는 $c \leq 7$이어야 하고, 구하는 실수 c의 값은 7이다.

[문제 3]

기름의 부피를 V라고 하면

$$V = \int_8^{12} \pi(\sqrt{x-7})^2 dx = \int_8^{12} \pi(x-7)dx = \pi\left[\frac{1}{2}x^2 - 7x\right]_8^{12} = 12\pi$$

1) 기름층의 윗면의 높이가 8보다 크거나 같다고 하자.

$0 \leq a \leq 4$일 때 기름층의 윗면의 높이를 $8+a$, 아랫면의 높이를 $8-b(b \geq 0)$라고 하면

$$12\pi = \int_8^{8+a} \pi(\sqrt{x-7})^2 dx + \int_{8-b}^8 \pi\left(\sqrt{\frac{8-x}{2}+1}\right)^2 dx$$

$x - 8 = t$로 치환하여 계산하면

$$12\pi = \int_0^a \pi(\sqrt{t+1})^2 dt + \int_{-b}^0 \pi\left(\sqrt{-\frac{t}{2}+1}\right)^2 dt$$

$$= \pi\left[\frac{t^2}{2}+t\right]_0^a + \pi\left[-\frac{t^2}{4}+t\right]_{-b}^0$$

$$= \pi\left(\frac{a^2}{2}+a+\frac{b^2}{4}+b\right)$$

$b^2 + 4b + 2a^2 + 4a - 48 = 0$이고, $b = -2 \pm \sqrt{-2a^2-4a+52}$인데 $0 \leq a \leq 4$일 때 $-2a^2-4a+52 \geq 4$이므로 $b = -2+\sqrt{-2a^2-4a+52}$일 때 $b \geq 0$이 된다. 따라서

$$b = -2+\sqrt{-2a^2-4a+52}$$

그러므로 기름층의 윗면의 높이가 $8+a(a \geq 0)$일 때 기름층의 두께는

$$a+b = a-2+\sqrt{-2a^2-4a+52}$$

이때 기름층의 두께를 a에 대한 함수 $h(a) = a-2+\sqrt{-2a^2-4a+52}$ $(0 \leq a \leq 4)$로 나타내면

$$h'(a) = 1 - \frac{2a+2}{\sqrt{-2a^2-4a+52}}$$

$h'(a) = 0$이면

$$2a+2 = \sqrt{-2a^2-4a+52}, \quad 4(a+1)^2 = -2a^2-4a+52$$

이때 $a^2+2a-8 = (a+4)(a-2) = 0$이고, $0 \leq a \leq 4$이므로 $h(a)$는 $a = 2$에서 극값을 갖는다.

$0 \leq a \leq 4$일 때 $\sqrt{-2a^2-4a+52} \geq 0$이므로 함수 $h(a)$의 증감을 다음과 같이 표로 나타낼 수 있다.

a	0	$0 < a < 2$	2	$2 < a \leq 4$	4
$h'(a)$		$+$	0	$-$	
$h(a)$	$-2+2\sqrt{13}$	↗	6	↘	4

기름층의 윗면의 높이가 8일 때 기름층의 두께는 $-2+\sqrt{52}=-2+2\sqrt{13}$이고 6보다 작다.

2) 기름층의 윗면의 높이가 8보다 작으면 기름층이 아래로 이동할수록 용기의 단면적이 점점 커지게 되므로 기름층의 두께가 감소한다.

1), 2)로부터 기름층의 두께의 최댓값은 6이다.

[문제 4]

(1) 점 P가 문제의 조건을 만족시키면서 직선 $\ell : y=-3x+10$ 위의 점까지 가장 빨리 도착하기 위해서는 점 Q와 R을 잇는 직선이 직선 ℓ과 수직이어야 한다. 이때 점 Q와 R을 잇는 직선의 기울기는 $\dfrac{1}{3}$이고 점 O와 Q를 잇는 직선의 기울기는 2이다.

직선 ℓ과 x축의 교점을 T라고 하고 $\theta_1 = \angle QOT$라고 하자. 또한 점 Q를 지나고 x축과 평행한 직선이 직선 ℓ과 만나는 점을 S라고 하고 $\theta_2 = \angle RQS$라고 하자. 그러면

$$\tan\theta_1 = 2, \quad \tan\theta_2 = \frac{1}{3}, \quad \tan\theta = \tan(\pi - \theta_1 + \theta_2) = \tan(\theta_2 - \theta_1)$$

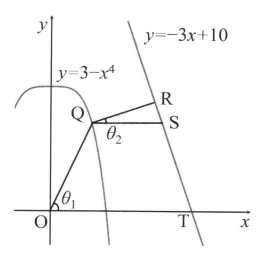

삼각함수의 덧셈정리에 의하여

$$\tan(\theta_2 - \theta_1) = \frac{\tan\theta_2 - \tan\theta_1}{1+\tan\theta_2\tan\theta_1} = \frac{\frac{1}{3}-2}{1+\frac{2}{3}} = -1$$

그러므로 $\tan\theta = -1$이다.

(2) 원점과 함수 $y=3-x^4$의 그래프 위의 점 $(x,\ 3-x^4)$을 잇는 선분의 길이는 $\sqrt{x^2+x^8-6x^4+9}$이고, 점 $(x,\ 3-x^4)$과 직선 $\ell:y=-3x+10$ 사이의 거리는 $\dfrac{|3x+(3-x^4)-10|}{\sqrt{10}}$이다.

그러므로 점 P가 원점을 출발하여 점 $Q(x,\ 3-x^4)$까지 움직인 후 Q에서 직선 ℓ 위의 점 R에 내린 수선을 따라 움직일 때 점 R에 도착하기까지 걸리는 시간은 다음과 같다.

$$t(x)=\frac{\sqrt{x^2+x^8-6x^4+9}}{a}+\frac{|3x+(3-x^4)-10|}{\sqrt{10}}$$

문제의 그림으로부터 $3x+(3-x^4)-10<0$이므로

$$t(x)=\frac{\sqrt{x^2+x^8-6x^4+9}}{a}-\frac{3x+(3-x^4)-10}{\sqrt{10}}$$

이고 함수 $t(x)$는 미분가능하다.

$t(x)$는 $x=1$일 때 최솟값을 가지므로 $t'(1)=0$이다. 함수 $t(x)$의 도함수를 계산하면

$$t'(x)=\frac{8x^7-24x^3+2x}{2a\sqrt{x^8-6x^4+x^2+9}}+\frac{4x^3-3}{\sqrt{10}}$$

$$t'(1)=\frac{-14}{2a\sqrt{5}}+\frac{1}{\sqrt{10}}=0$$

따라서 $a=7\sqrt{2}$이다.

5. 2023학년도 숭실대 모의 논술

[문제 1] 원 C와 원 C'이 다음 조건을 만족시킨다. (그림 1참조)

(i) 원 C는 반직선 OX 및 반직선 OP와 접하고 있으며, 반직선 OX 위에서 접하는 점 A에 대하여 $\overline{OA}=1$이다.

(ii) 원 C'은 반직선 OX 및 반직선 OP와 접하고 있으며, 원 C와 한 점에서 만난다.

(iii) 원 C'의 반지름은 원 C의 반지름보다 작다.

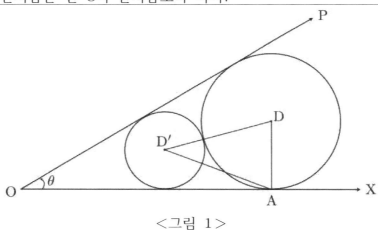

<그림 1>

두 반직선 OX와 OP가 이루는 ∠XOP의 크기를 θ라고 하자. (단, $0 < \theta < \pi$)
원 C와 원 C′의 중심을 각각 D, D′이라고 하고 삼각형 D′AD의 넓이를 $S(\theta)$라고 할 때, $\displaystyle\lim_{\theta \to 0+} \frac{S(\theta)}{\theta^2}$의 값을 구하시오.

[문제 2]
구간 $(0, \infty)$에서 미분가능한 함수 $f(x)$가 다음과 같이 정의되어 있다. (단, a, b, c, d는 실수이고 $a \neq 0$)

$$f(x) = \begin{cases} x^2 - 1 & (0 < x < 2) \\ ax^3 + bx^2 + cx + d & (x \geq 2) \end{cases}$$

함수 $y = f(x)$의 그래프는 x축과 서로 다른 두 점에서 만나고, 함수 $f(x)$는 $x = 5$에서 극솟값을 가진다.
이때 다음 문항에 답하시오.
(1) 실수 a, b, c, d의 값을 구하시오.
(2) 곡선 $y = f(x)$ 위의 점 $(x, f(x))$에서의 접선과 수직이면서 점 $(x, f(x))$를 지나는 직선의 x절편의 최솟값을 구하시오.

(단, $0 < x < \dfrac{8}{3}$)

[문제 3]
점 P(a, b)를 지나고 곡선 $y = x^2$에 접하는 직선이 두 개가 존재한다고 하자. 두 접선이 곡선 $y = x^2$과 만나는 점을 각각 A와 B라고 할 때, 두 접선의 사잇각 APB가 $\dfrac{\pi}{3}$라고 하자.
(1) a와 b의 관계식을 구하시오.
(2) 두 접선과 곡선 $y = x^2$으로 둘러싸인 도형의 넓이를 b에 관한 식으로 나타내시오.

(단, $b < -\dfrac{1}{2}$)

[문제 4]
용량이 5리터(liter)인 물탱크가 있다. 물탱크에는 급수관과 배수관이 각각 한 개씩 존재한다. 아래에 주어진 세 개의 펌프 중 두 개를 골라서 그 중 한 개를 급수관에, 나머지 한 개를 배수관에 설치한다.
펌프의 시간 t에서의 급수 또는 배수량의 순간변화율은 다음과 같다.

　　　1번 펌프: $8t + 1$ liter/hour

　　　2번 펌프: $4t + 2$ liter/hour

　　　3번 펌프: $6t + 4$ liter/hour

$t=0$에서 물탱크에 저장된 물은 0.1리터이다. $t=0$에서 $t=1$까지 1시간(hour) 동안 펌프를 작동시킨다고 하자. 펌프가 작동하는 동안 물탱크의 물이 넘치거나 바닥나지 않도록 펌프를 설치하는 경우의 수를 구하시오.

[문제 1]

삼각형 OAD가 직각삼각형이고 $\overline{OA}=1$, $\angle AOD=\dfrac{\theta}{2}$이므로 원 C의 반지름의 길이는 $\tan\dfrac{\theta}{2}$이다. 삼각형 D′AD의 넓이는 삼각형 OAD의 넓이에서 삼각형 OAD′의 넓이를 뺀 것이다. 원 C′의 반지름의 길이를 r이라고 할 때, 삼각형 D′AD의 넓이 $S(\theta)$는 아래와 같이 나타낼 수 있다.

$$\text{삼각형 OAD의 넓이} = \frac{1}{2}\times\overline{OA}\times\tan\frac{\theta}{2} = \frac{1}{2}\tan\frac{\theta}{2}$$

$$\text{삼각형 OAD′의 넓이} = \frac{1}{2}\times\overline{OA}\times r = \frac{1}{2}r$$

$$S(\theta) = \frac{1}{2}\left(\tan\frac{\theta}{2}-r\right) \quad \cdots\cdots \ \ominus$$

원 C′과 반직선 OX가 만나는 점을 A′이라고 하자. 삼각형 OAD와 삼각형 OA′D′는 닮은꼴이므로

$$\overline{AD}:\overline{A′D′}=\overline{OD}:\overline{OD′}, \quad \overline{OD′}=\overline{OD}-\text{두 원의 반지름 합}$$

$$\tan\frac{\theta}{2}:r=\sec\frac{\theta}{2}:\sec\frac{\theta}{2}-\tan\frac{\theta}{2}-r$$

이 성립한다. 따라서

$$r=\frac{\tan\dfrac{\theta}{2}\sec\dfrac{\theta}{2}-\tan^2\dfrac{\theta}{2}}{\sec\dfrac{\theta}{2}+\tan\dfrac{\theta}{2}} \quad \cdots\cdots\ \mathbb{L}$$

이다.

식 $\mathbb{L}$을 식 $\ominus$에 대입하면,

$$S(\theta)=\frac{1}{2}\left(\tan\frac{\theta}{2}-r\right)=\frac{1}{2}\tan\frac{\theta}{2}\left(1-\frac{\sec\dfrac{\theta}{2}-\tan\dfrac{\theta}{2}}{\sec\dfrac{\theta}{2}+\tan\dfrac{\theta}{2}}\right)$$

$$=\frac{1}{2}\tan\frac{\theta}{2}\cdot\frac{2\tan\dfrac{\theta}{2}}{\sec\dfrac{\theta}{2}+\tan\dfrac{\theta}{2}}$$

$$=\frac{\tan^2\dfrac{\theta}{2}}{\sec\dfrac{\theta}{2}+\tan\dfrac{\theta}{2}}$$

이므로,

$$\lim_{\theta \to 0+} \frac{S(\theta)}{\theta^2} = \lim_{\theta \to 0+} \frac{\tan^2 \frac{\theta}{2}}{\theta^2 \left(\sec \frac{\theta}{2} + \tan \frac{\theta}{2} \right)}$$

$$= \lim_{\theta \to 0+} \frac{\tan \frac{\theta}{2}}{\theta} \cdot \frac{\tan \frac{\theta}{2}}{\theta} \cdot \frac{1}{\sec \frac{\theta}{2} + \tan \frac{\theta}{2}}$$

이고

$$\lim_{\theta \to 0+} \frac{\tan \frac{\theta}{2}}{\theta} = \frac{1}{2}, \ \lim_{\theta \to 0+} \sec \frac{\theta}{2} = 1, \ \lim_{\theta \to 0+} \tan \frac{\theta}{2} = 0$$

에 의하여

$$\lim_{\theta \to 0+} \frac{S(\theta)}{\theta^2} = \frac{1}{4}$$

이다.

[문제 2]

(1) $0 < x < 2$ 범위에서 함수 $f(x)$는 x축과 한 점 $(1, 0)$에서 만나므로 $x \geq 2$ 범위에서 함수 $f(x)$는 x축과 오직 한 점에서만 만나야 한다. 따라서 함수 $f(x)$는 $x = 5$에서 x축과 접하면서 극솟값을 가져야 한다. 이를 고려하여 함수 $f(x)$를 다시 표현하면 아래와 같다.

$$f(x) = \begin{cases} x^2 - 1 & (0 < x < 2) \\ \alpha(x - \beta)(x - 5)^2 & (x \geq 2) \end{cases}$$

주어진 함수 $f(x)$는 구간 $(0, 2)$와 $(2, \infty)$에서 미분가능하다. 그러므로 함수 $f(x)$가 구간 $(0, \infty)$에서 미분가능하기 위해서는 $x = 2$에서 미분가능하면 된다.

$$f'(2) = \alpha(2 - 5)(3 \times 2 - 2\beta - 5) = 4 \ \cdots\cdots \ ㉠$$

한편 함수 $f(x)$가 $x = 2$에서 미분가능하면 $x = 2$에서 연속이어야 하므로,

$$f(2) = \alpha(2 - \beta)(2 - 5)^2 = 3 \ \cdots\cdots \ ㉡$$

이다.

식 ㉠, ㉡을 동시에 만족시키는 상수는 $\alpha = \dfrac{2}{3}$, $\beta = \dfrac{3}{2}$ 이다.

따라서 $x \geq 2$에서 함수 $f(x)$는 아래와 같다.

$$f(x) = \frac{2}{3} \left(x - \frac{3}{2} \right)(x - 5)^2$$

$$= \frac{2}{3} x^3 - \frac{23}{3} x^2 + \frac{80}{3} x - 25$$

따라서 $a = \dfrac{2}{3}$, $b = -\dfrac{23}{3}$, $c = \dfrac{80}{3}$, $d = -25$이다.

(2) $x \geq 2$에서 $f'(x) = \frac{2}{3}(x-5)^2 + \frac{4}{3}\left(x - \frac{3}{2}\right)(x-5) = \frac{2}{3}(x-5)(3x-8)$이므로 $x = \frac{8}{3}$에

서 극댓값, $x = 5$에서 극솟값을 갖는다. 주어진 구간 $\left(0, \frac{8}{3}\right)$은 0에서부터 3차함수의 극댓

값까지이다.

따라서 점 $(x, f(x))$에서의 접선과 수직이면서 점 $(x, f(x))$를 지나는 직선의 x절편의 최

솟값은 이차함수 구간인 $0 < x < 2$사이에 존재한다.

$0 < x < 2$ 구간에서 곡선 $y = f(x)$위의 점 $(t, f(t))$에서의 접선의 기울기는 $f'(t)$이고
$$f'(t) = 2t \, (0 < t < 2)$$

곡선 $y = f(x)$ 위의 점 $(t, f(t))$에서의 접선과 수직이면서 점 $(t, f(t))$를 지나는 직선의

방정식은 다음과 같다.

$$y = -\frac{1}{2t}(x-t) + t^2 - 1 \;\; (0 < t < 2)$$

위 직선의 x절편을 $g(t)$라고 하면 $g(t)$는 각각 다음과 같다.

$$g(t) = 2t^3 - t \;\; (0 < t < 2)$$

$g'(t) = 6t^2 - 1$의 부호를 조사하여 함수 $g(t)$의 증가와 감소를 표로 나타내면 다음과 같다.

t	0	$\cdots$	$\frac{1}{\sqrt{6}}$	$\cdots$
$g'(t)$		$-$	0	$+$
$g(t)$		$\searrow$	$-\frac{2}{3\sqrt{6}}$	$\nearrow$

따라서 함수 $g(t)$의 최솟값은 $g\left(\frac{1}{\sqrt{6}}\right) = -\frac{2}{3\sqrt{6}}$이다.

[문제 3]

(1) 점 $P(a, b)$를 지나고, 함수 $y = x^2$의 그래프에 접하는 직선이 그래프와 접하는 점을

$Q(x, x^2)$이라고 하자. 이때, 직선의 기울기는 두 가지 방법으로 구할 수 있다.

ⅰ) P, Q를 지나는 직선의 기울기 $= \dfrac{x^2 - b}{x - a}$

ⅱ) 점 Q에서의 접선의 기울기 $= 2x$

위의 두 값은 같아야 하므로 다음 등식이 성립한다.

$$\frac{x^2 - b}{x - a} = 2x \Rightarrow x^2 - 2ax + b = 0$$

위의 이차방정식의 두 해를 α, β라고 하면, 두 접선의 기울기는 $2\alpha, 2\beta$이다. 두 접선과

x축의 양의 방향이 이루는 각을 θ_1, θ_2라고 하면, $|\theta_1 - \theta_2| = \dfrac{\pi}{3}$이다. 이를 삼각함수로 나

타내면 다음과 같다.

$$\sqrt{3} = \tan\frac{\pi}{3} = \tan|\theta_1 - \theta_2| = \left|\frac{\tan\theta_1 - \tan\theta_2}{1 + \tan\theta_1\tan\theta_2}\right| = \left|\frac{2\alpha - 2\beta}{1 + 4\alpha\beta}\right|$$

이다. 양변을 제곱하여 이차방정식의 근과 계수의 관계를 적용하면

$$4\big((\alpha + \beta)^2 - 4\alpha\beta\big) = 3(1 + 4\alpha\beta)^2, \quad 4(4a^2 - 4b) = 3(1 + 4b)^2$$

이고, a와 b의 관계는 다음 식으로 정리된다.

$$16a^2 - 48b^2 - 40b - 3 = 0$$

(2) 점 $P(a, b)$를 지나고, 함수 $y = x^2$의 그래프에 접하는 직선이 그래프와 접하는 점을 구하는 이차방정식 $x^2 - 2ax + b = 0$의 두 근을 α, $\beta(\alpha < \beta)$라고 하면 두 접선의 방정식은 다음과 같다.

$$y = 2\alpha(x - a) + b, \quad y = 2\beta(x - a) + b$$

따라서 두 접선과 곡선 $y = x^2$으로 둘러싸인 도형의 넓이 S는

$$S = \int_\alpha^a x^2 - 2\alpha x + 2a\alpha - b\,dx + \int_a^\beta x^2 - 2\beta x + 2a\beta - b\,dx$$

$$= \left[\frac{1}{3}x^3 - \alpha x^2 + (2a\alpha - b)x\right]_\alpha^a + \left[\frac{1}{3}x^3 - \beta x^2 + (2a\beta - b)x\right]_a^\beta$$

$$= \frac{1}{3}(\beta^3 - \alpha^3) + (\alpha^3 - \beta^3) + 2a(\beta^2 - \alpha^2) + b(\alpha - \beta) - a^2(\alpha - \beta) + 2a^2(\alpha - \beta)$$

$$= \frac{2}{3}(\alpha^3 - \beta^3) - 2a(\alpha^2 - \beta^2) + (a^2 + b)(\alpha - \beta)$$

이고

$$\alpha + \beta = 2a, \quad \alpha\beta = b\text{로 부터}$$

$$\alpha - \beta = -\sqrt{(\alpha + \beta)^2 - 4\alpha\beta} = -2\sqrt{a^2 - b},$$
$$\alpha^2 - \beta^2 = (\alpha + \beta)(\alpha - \beta) = -4a\sqrt{a^2 - b},$$
$$\alpha^3 - \beta^3 = (\alpha - \beta)(\alpha^2 + \alpha\beta + \beta^2) = -2\sqrt{a^2 - b}\,(4a^2 - b)$$

이므로

$$S = \sqrt{a^2 - b}\left\{\frac{4}{3}(b - 4a^2) + 8a^2 - 2(a^2 + b)\right\}$$

$$= \frac{2}{3}(a^2 - b)^{\frac{3}{2}}$$

이다.

문항 **(1)**에서 구한 a와 b의 관계 $16a^2 - 48b^2 - 40b - 3 = 0$로부터 $a^2 = \dfrac{48b^2 + 40b + 3}{16}$을 이용하면

$$S = \frac{2}{3}\left(\frac{48b^2 + 40b + 3 - 16b}{16}\right)^{\frac{3}{2}}$$

$$= -\frac{\sqrt{3}\,(4b + 1)^3}{32}$$

이다.

[문제 4]

펌프를 통해 1시간 동안 급수 또는 배수되는 물의 양 (급수 또는 배수량)은 급수 또는 배수량의 순간변화율을 시간에 따라 정적분한 값과 같다.

$$1번 펌프의 1시간 동안의 급수량:\int_0^1 (8t+1)dt = \left[4t^2+t\right]_0^1 = 5(\text{liter})$$

$$2번 펌프의 1시간 동안의 급수량:\int_0^1 (4t+2)dt = \left[2t^2+2t\right]_0^1 = 4(\text{liter})$$

$$3번 펌프의 1시간 동안의 급수량:\int_0^1 (6t+4)dt = \left[3t^2+4t\right]_0^1 = 7(\text{liter})$$

세 개의 펌프 중 두 개를 골라서 급수관과 배수관에 하나씩 연결하는 경우의 수는 $_3\mathrm{P}_2 = 6$가지이다. 펌프를 연결할 수 있는 모든 경우의 수에 대해 1시간 후 남아있는 물의 양을 계산하면 아래와 같다.

급수펌프	배수펌프	1시간 동안급수량	1시간 동안배수량	$t=0$에서 물탱크에 저장된 물의 양	$t=1$에서 물탱크에 저장된 물의 양
1번 펌프	2번 펌프	5리터	4리터	0.1리터	1.1리터
1번 펌프	3번 펌프	5리터	7리터	0.1리터	−1.9리터
2번 펌프	1번 펌프	4리터	5리터	0.1리터	−0.9리터
2번 펌프	3번 펌프	4리터	4리터	0.1리터	−2.9리터
3번 펌프	1번 펌프	7리터	7리터	0.1리터	2.1리터
3번 펌프	2번 펌프	7리터	5리터	0.1리터	3.1리터

$t=1$에서 물탱크에 저장된 물의 양이 5리터가 넘거나 0리터 이하가 되지 않는 조합은

급수 1번 펌프 – 배수 2번 펌프,

급수 3번 펌프 – 배수 1번 펌프,

급수 3번 펌프 – 배수 2번 펌프

의 세 가지 경우이다.

$t=0$에서 $t=1$까지 1시간(hour) 동안 펌프를 작동시키는 중간에 급수량에 비해 배수량이 많아져 물탱크의 물이 바닥나는 경우도 고려해야 한다.

급수 1번 펌프 – 배수 2번 펌프의 시간 t에서의 저장된 물의 양은 다음과 같다.

$$\begin{aligned}
물의양 &= \int_0^t (8t+1)dt - \int_0^t (4t+2)dt + \frac{1}{10} \\
&= \int_0^t (4t-1)dt + \frac{1}{10} \\
&= 2t^2 - t + \frac{1}{10} \\
&= 2\left(t - \frac{1}{4}\right)^2 - \frac{1}{40}
\end{aligned}$$

급수펌프로 1번 펌프를, 배수 펌프로 2번 펌프를 설치하면, 시간 t에서의 저장된 물의 양이 $t = \frac{1}{4}$에서 $-\frac{1}{40}$로 음수가 되어 물탱크의 물이 중간에 바닥나게 된다.

급수 3번 펌프 − 배수 1번 펌프의 시간 t에서의 저장된 물의 양은 다음과 같다

$$\text{물의양} = \int_0^t (6t+4)dt - \int_0^t (8t+1)dt + \frac{1}{10}$$
$$= \int_0^t (-2t+3)dt + \frac{1}{10}$$
$$= -t^2 + 3t + \frac{1}{10}$$

$-t^2 + 3t + \frac{1}{10}$는 $0 \le t \le 1$에서 0과 5의 범위 내에 있으므로 급수 펌프로 3번 펌프를, 배수 펌프로 1번 펌프를 설치하면 물탱크의 물이 넘치거나 바닥나지 않는다.

급수 3번 펌프 − 배수 2번 펌프의 시간 t에서의 저장된 물의 양은 다음과 같다

$$\text{물의양} = \int_0^t (6t+4)dt - \int_0^t (4t+2)dt + \frac{1}{10}$$
$$= \int_0^t (2t+2)dt + \frac{1}{10}$$
$$= t^2 + 2t + \frac{1}{10}$$

$t^2 + 2t + \frac{1}{10}$는 $0 \le t \le 1$에서 0과 5의 범위 내에 있으므로 급수 펌프로 3번 펌프를, 배수 펌프로 2번 펌프를 설치하면 물탱크의 물이 넘치거나 바닥나지 않는다.
따라서 물탱크의 물이 넘치거나 바닥나지 않도록 하는 경우는 다음의 두 가지이다.
(1) 3번 펌프를 급수관에 연결하고, 1번 펌프를 배수관에 연결
(2) 3번 펌프를 급수관에 연결하고, 2번 펌프를 배수관에 연결

6. 2022학년도 숭실대 수시 논술 (자연 1)

[문제 1]

구간 $[0, \infty)$에서 연속이고 구간 $(0, \infty)$에서 미분가능한 두 함수 $f(x)$, $g(x)$는 다음 조건을 모두 만족시킨다.

(i) $g(1) = 1$이고 모든 $x \ge 0$에 대하여 $g(2x) = 3g(x)$이다.
(ii) 모든 $x \ge 0$에 대하여 $f(g(x)) = x$이다.

이때 다음 문항에 답하시오.

(1) $f'(3) \times g'(1)$의 값을 구하시오.

(2) $\int_1^2 g(x)dx = A$일 때 $\int_0^1 g(x)dx$의 값을 A에 대한 식으로 나타내시오.

[문제 2]

함수 $f(x)$가 실수 a에 대하여 다음 세 조건을 모두 만족시킬 때, $f(x)$는 $x=a$에서 연속이라고 한다.

① 함수 $f(x)$가 $x=a$에서 정의되어 있다.

② 극한값 $\lim\limits_{x \to a} f(x)$가 존재한다.

③ $\lim\limits_{x \to a} f(x) = f(a)$

[출처 : 수학Ⅱ 「함수의 연속」]

삼차함수 $f(x)$와 이차함수 $g(x)$는 다음 조건을 모두 만족시킨다.

(ⅰ) $f(x)$의 최고차항의 계수는 1이다.

(ⅱ) 곡선 $y=f(x)$와 곡선 $y=g(x)$의 교점은 두 개이며, 두 교점의 x좌표 중 더 큰 값은 2이다.

(ⅲ) 함수 $h(x) = \begin{cases} \dfrac{1}{x-2}\left(\dfrac{e^{f(x)}}{e^{g(x)}}-1\right) & (x \neq 2) \\ 16 & (x=2) \end{cases}$ 는 연속함수이다.

이때 곡선 $y=f(x)$와 곡선 $y=g(x)$로 둘러싸인 도형의 넓이를 구하시오.

[문제 3]

삼각형 ABC 의 외접원의 반지름의 길이를 R라고 하면

$$\frac{a}{\sin A} = \frac{b}{\sin B} = \frac{c}{\sin C} = 2R$$

[출처 : 수학Ⅰ 「사인법칙과 코사인법칙」]

반지름의 길이가 $\dfrac{7\sqrt{2}}{4}$인 원에 삼각형 ABC가 내접한다. 삼각형 ABC의 넓이는 $\sqrt{6}$이고 $\cos A = \dfrac{5}{7}$이다. 이때 삼각형 ABC의 세 변의 길이를 모두 구하시오.

[문제 4]

모든 자연수 n에 대하여 $x_n = 3\pi\left(1 - \dfrac{1}{2^{n-1}}\right)$이다. 실수 전체에서 미분가능한 함수 $f(x)$는 모든 자연수 n에 대하여 다음 조건을 모두 만족시킨다.

(ⅰ) 닫힌구간 $[x_n,\ x_{n+1}]$에서 실수 a_n, 양수 b_n에 대하여 $f(x)=a_n\sin(b_nx)$이다.

(ⅱ) $f(x_n)=f(x_{n+1})=0$이고, 열린구간 $(x_n,\ x_{n+1})$에서 방정식 $f(x)=0$은 서로 다른 2개의 해를 갖는다.

(ⅲ) $f'(x_1)=\dfrac{1}{2}$

이때 다음 문항에 답하시오.

(1) b_{10}을 구하시오.

(2) 정적분 $\displaystyle\int_{x_1}^{x_{10}}f(x)dx$의 값을 구하시오.

[문제 1]

(1) 모든 $x\geq0$에 대하여 $g(2x)=3g(x)$이므로 $x=1$일 때

$$g(2)=3g(1)=3$$

합성함수의 미분법의 결과 $f'(g(x))g'(x)=1$로부터 $f'(3)$의 값을 구하면

$$f'(g(2))g'(2)=f'(3)g'(2)=1,\quad f'(3)=\frac{1}{g'(2)}$$

$g(x)=\dfrac{1}{3}g(2x)$**의 양변을 x에 대하여 미분하여, $g'(1)$의 값을 구하면**

$$g'(x)=\frac{2}{3}g'(2x),\quad g'(1)=\frac{2}{3}g'(2)$$

따라서

$$f'(3)\times g'(1)=\frac{1}{g'(2)}\times\frac{2}{3}g'(2)=\frac{2}{3}$$

이다.

(2) $B=\displaystyle\int_0^1 g(x)dx$라고 하자. $\displaystyle\int_0^1 g(x)dx=\int_0^1\frac{1}{3}g(2x)dx$에서 $2x=t$로 놓으면 $x=0$일 때 $t=0$, $x=1$일 때 $t=2$, $\dfrac{dx}{dt}=\dfrac{1}{2}$이므로

$$B=\int_0^2\frac{1}{3}g(t)\frac{1}{2}dt=\frac{1}{6}\int_0^2 g(t)dt$$
$$=\frac{1}{6}\int_0^1 g(t)dt+\frac{1}{6}\int_1^2 g(t)dt$$
$$=\frac{1}{6}B+\frac{1}{6}A$$

따라서 구하는 정적분의 값은

$$\int_0^1 g(x)dx=B=\frac{1}{5}A$$

이다.

[문제 2]

$p(x)=f(x)-g(x)$라고 하면 함수 $p(x)$는 최고차항의 계수가 1인 삼차함수이다. 방정식 $p(x)=0$의 두 해 중 작은 값을 a라고 하면

$$p(x)=(x-a)(x-2)^2 \text{ 또는 } p(x)=(x-a)^2(x-2)$$

$p(2)=0$임을 이용하면

$$\lim_{x \to 2} h(x)=\lim_{x \to 2}\frac{1}{x-2}\left(\frac{e^{f(x)}}{e^{g(x)}}-1\right)=\lim_{x \to 2}\frac{e^{f(x)-g(x)}-1}{x-2}$$

$$=\lim_{x \to 2}\frac{e^{p(x)}-1}{x-2}=\lim_{x \to 2}\frac{e^{p(x)}-e^{p(2)}}{x-2}$$

위의 극한값은 $e^{p(x)}$의 $x=2$에서의 미분계수이므로 $\lim_{x \to 2}h(x)=p'(2)e^{p(2)}=p'(2)$이다. 함수 $h(x)$가 $x=2$에서 연속이므로 $\lim_{x \to 2}h(x)=p'(2)=16$이다.

만약, $p(x)=(x-a)(x-2)^2$이면 $p'(x)=(x-2)^2+2(x-a)(x-2)$, $p'(2)=0 \neq 16$이므로 $p(x)=(x-a)^2(x-2)$가 되어야 한다.

이때 $p'(x)=2(x-a)(x-2)+(x-a)^2$, $p'(2)=(2-a)^2=16$이므로 $a=-2$ 또는 $a=6$이어야 한다. 그런데 $a<2$이므로 $p(x)=(x+2)^2(x-2)$이다.

구간 $[-2,2]$에서 $p(x) \leq 0$이므로 두 곡선 $y=f(x)$, $y=g(x)$로 둘러싸인 도형의 넓이는

$$\int_{-2}^{2}|f(x)-g(x)|dx=\int_{-2}^{2}[-p(x)]dx=-\int_{-2}^{2}(x+2)^2(x-2)dx$$

$$=-\int_{-2}^{2}(x^3+2x^2-4x-8)dx$$

$$=-\left[\frac{x^4}{4}+\frac{2x^3}{3}-2x^2-8x\right]_{-2}^{2}$$

$$=-\left(4+\frac{16}{3}-8-16\right)+\left(4-\frac{16}{3}-8+16\right)$$

$$=\frac{64}{3}$$

이다.

[문제 3]

$\cos A=\dfrac{5}{7}$, $0<A<\pi$이므로

$$\sin A=\sqrt{1-\cos^2 A}=\sqrt{1-\left(\frac{5}{7}\right)^2}=\frac{2\sqrt{6}}{7}$$

삼각형 ABC의 외접원의 반지름의 길이를 R라고 하면 사인법칙에 의하여

$$\frac{a}{\sin A}=2R, \text{ 즉 } a=2R\sin A=2 \times \frac{7\sqrt{2}}{4} \times \frac{2\sqrt{6}}{7}=2\sqrt{3}$$

삼각형 ABC의 넓이는 $\sqrt{6}$이므로

$$\sqrt{6}=\frac{1}{2}bc\sin A=\frac{\sqrt{6}}{7}bc, \text{ 즉 } bc=7$$

코사인법칙에 의하여

$$12 = a^2 = b^2 + c^2 - 2bc \cos A$$
$$= (b+c)^2 - 2bc(1 + \cos A)$$

이므로

$$(b+c)^2 = 12 + 2bc(1 + \cos A) = 12 + 14\left(1 + \frac{5}{7}\right) = 36, \quad b+c = 6$$

위로부터 $bc = 7$, $b+c = 6$이다. 두 수 b, c를 근으로 갖는 이차방정식

$$x^2 - (b+c)x + bc = x^2 - 6x + 7 = 0$$

의 해는 $x = 3 \pm \sqrt{2}$이다.

따라서 삼각형의 세 변의 길이는 $2\sqrt{3}$, $3 + \sqrt{2}$, $3 - \sqrt{2}$이다.

[문제 4]

(1) 구간 $[x_n, x_{n+1}]$에서 $f(x) = a_n \sin(b_n x)$이므로 조건 (ii)에 의하여

$$f(x_n) = f\left(x_n + \frac{\pi}{b_n}\right) = f\left(x_n + \frac{2\pi}{b_n}\right) = f\left(x_n + \frac{3\pi}{b_n}\right) = 0$$

따라서 $x_{n+1} = x_n + \frac{3\pi}{b_n}$이고

$$x_{n+1} - x_n = 3\pi\left(1 - \frac{1}{2^n}\right) - 3\pi\left(1 - \frac{1}{2^{n-1}}\right) = \frac{3\pi}{2^n}, \quad b_n = 2^n$$

그러므로 $b_{10} = 2^{10} = 1024$이다.

(2) $b_n x_n = 2^n \times 3\pi\left(1 - \frac{1}{2^{n-1}}\right) = 3\pi(2^n - 2)$, $\quad b_n x_{n+1} = b_n x_n + 3\pi = 3\pi(2^n - 1)$이므로,

모든 $n \geq 1$에 대하여 $\quad \cos(b_n x_n) = 1$, $\cos(b_n x_{n+1}) = -1$

함수 $f(x)$는 미분가능하고,

$n \geq 2$일 때 구간 $[x_{n-1}, x_n]$에서 $f(x) = a_{n-1} \sin(2^{n-1} x)$,

구간 $[x_n, x_{n+1}]$에서 $f(x) = a_n \sin(2^n x)$이다.

실수 전체에서 미분가능한 두 함수 $g(x) = a_{n-1} \sin(2^{n-1} x)$, $h(x) = a_n \sin(2^n x)$에 대하여

$$f'(x_n) = \lim_{x \to x_n^-} \frac{f(x) - f(x_n)}{x - x_n} = \lim_{x \to x_n^-} \frac{g(x) - g(x_n)}{x - x_n}$$
$$= g'(x_n) = 2^{n-1} a_{n-1} \cos(2^{n-1} x_n)$$
$$= -2^{n-1} a_{n-1}$$

$$f'(x_n) = \lim_{x \to x_n^+} \frac{f(x) - f(x_n)}{x - x_n} = \lim_{x \to x_n^+} \frac{h(x) - h(x_n)}{x - x_n}$$
$$= h'(x_n) = 2^n a_n \cos(2^n x_n)$$
$$= 2^n a_n$$

이로부터 $n \geq 2$**일 때**

$$-2^{n-1}a_{n-1} = f'(x_n) = 2^n a_n, \quad a_n = -\frac{1}{2}a_{n-1}$$

또한, $f'(x_1) = 2a_1 \cos(0) = 2a_1 = \frac{1}{2}$**이므로** $a_1 = \frac{1}{4}$**이다. 그러므로 수열** $\{a_n\}$**은 첫째항이**

$\frac{1}{4}$**이고 공비가** $-\frac{1}{2}$**인 등비수열이고,** $a_n = \left(-\frac{1}{2}\right)^{n+1}$**이다.**

구간 $[x_n, \ x_{n+1}]$**에서**

$$\begin{aligned}\int_{x_n}^{x_{n+1}} f(x)dx &= \int_{x_n}^{x_{n+1}} a_n \sin(2^n x)dx \\ &= \frac{a_n}{2^n}\left[-\cos(2^n x)\right]_{x_n}^{x_{n+1}} \\ &= \frac{a_n}{2^n}\left(-\cos(2^n x_{n+1}) + \cos(2^n x_n)\right) \\ &= \frac{a_n}{2^{n-1}} = (-1)^{n+1}\frac{1}{2^{2n}} = \frac{1}{4}\left(-\frac{1}{4}\right)^{n-1}\end{aligned}$$

따라서

$$\begin{aligned}\int_{x_1}^{x_{10}} f(x)dx &= \sum_{k=1}^{9}\int_{x_k}^{x_{k+1}} f(x)dx = \sum_{k=1}^{9}\frac{1}{4}\left(-\frac{1}{4}\right)^{k-1} \\ &= \frac{\frac{1}{4}\left(1 - \left(-\frac{1}{4}\right)^9\right)}{1 + \frac{1}{4}} = \frac{1}{5}\left(1 + \left(\frac{1}{4}\right)^9\right)\end{aligned}$$

이다.

7. 2022학년도 숭실대 수시 논술 (자연 2)

[문제 1]

함수 $f(x)$가 구간 $[1, \infty)$에서 $f(x) = x\ln x$로 정의되어 있다. 구간 $[0, \infty)$에서 연속이고 구간 $(0, \infty)$에서 미분 가능한 함수 $g(x)$는 모든 $x \geq 0$에 대하여

$$g(x) \geq 1, \quad f(g(x)) = x^2$$

을 만족시킨다. 이때 다음 문항에 답하시오.

(1) 곡선 $y = g(x)$ 위의 점 $(\sqrt{e}, \ e)$에서의 접선의 방정식을 구하시오.

(2) 정적분 $\displaystyle\int_{0}^{\sqrt{e}} 2x\{g(x)\}^2 dx$의 값을 구하시오.

[문제 2]

함수 $f(x)$가 구간 $[-1, 1]$에서 다음과 같이 정의되어 있다.

$$f(x) = \begin{cases} 1 - x^2 & (-1 \leq x \leq 0) \\ \sqrt{1 - x^2} & (0 < x \leq 1) \end{cases}$$

156

곡선 $y=f(x)$ 위에 오각형 ABCDE의 모든 꼭짓점이 놓여 있다. 점 A의 좌표는 $(1,\ 0)$, 점 E의 좌표는 $(-1,\ 0)$이고 두 점 B, C의 x좌표는 모두 양수이며 $\angle ABC=150°$이다. 이때 다음 문항에 답하시오.

(1) 삼각형 ACE의 넓이를 구하시오.

(2) 오각형 ABCDE의 넓이가 최대가 되도록 하는 꼭짓점 B, C, D의 좌표를 구하시오.

[문제 3]

원 $x^2+y^2=1$ 위의 점 $P(\cos\theta,\ \sin\theta)$에서의 접선을 ℓ이라고 하고, 점 $A(-1,\ 0)$에서 직선 ℓ에 내린 수선의 발을 H라고 하자. (단, $0<\theta<\pi$)

이때 다음 문항에 답하시오.

(1) 점 H의 좌표를 θ를 이용하여 나타내시오.

(2) 삼각형 APH의 넓이의 최댓값을 구하시오.

[문제 4]

$a+r>2$인 두 양수 $a,\ r$에 대하여 함수 $f(x)$가 구간 $[0,\ a+r]$에서 다음과 같이 정의되어 있다.

$$f(x)=\begin{cases}\displaystyle\int_0^x \left|\cos\frac{\pi t}{2}\right|dt & (0\le x\le 2)\\[2mm] \sqrt{r^2-(x-a)^2} & (2<x\le a+r)\end{cases}$$

함수 $f(x)$가 구간 $[0,\ a+r]$에서 연속이고 구간 $(0,\ a+r)$에서 미분가능할 때, 다음 문항에 답하시오.

(1) a와 r의 값을 구하시오.

(2) 정적분 $\displaystyle\int_0^{a+r} f(x)dx$의 값을 구하시오.

[문제 1]

(1) 합성함수의 미분법에 의하여 ${f(g(x))}'=f'(g(x))g'(x)=2x$**이므로**

$$f'(g(\sqrt{e}))g'(\sqrt{e})=2\sqrt{e}$$

$rg(\sqrt{e})=e$**이고** $f'(x)=1+\ln x$**이므로**

$$g'(\sqrt{e})=\frac{2\sqrt{e}}{f'(e)}=\frac{2\sqrt{e}}{1+\ln e}=\sqrt{e}$$

따라서 곡선 $y=g(x)$ **위의 점** $(\sqrt{e},\ e)$**에서의 접선의 방정식은**

$$y=\sqrt{e}(x-\sqrt{e})+e=\sqrt{e}\,x$$

이다.

(2) $g(x)=t$**로 놓으면** $\dfrac{dt}{dx}=g'(x)$**이다.** $g(0)=\alpha$**로 놓으면** $f(\alpha)=\alpha\ln\alpha=0$**이고** $\alpha\ge 1$**이므로** $g(0)=1$**이다. 또한** $g(\sqrt{e})=e$**이고** $2x=f'(g(x))g'(x)$**이므로 치환적분법에 의하여**

$$\int_0^{\sqrt{e}} 2x\{g(x)\}^2 dx = \int_0^{\sqrt{e}} f'(g(x))g'(x)\{g(x)\}^2 dx$$
$$= \int_0^{\sqrt{e}} \{g(x)\}^2 f'(g(x)) \times g'(x)dx$$
$$= \int_1^e t^2 f'(t)dt = \int_1^e (t^2 \ln t + t^2)dt$$
$$= \int_1^e t^2 \ln t\, dt + \int_1^e t^2 dt$$

부분적분법을 이용하면

$$\int_1^e t^2 \ln t\, dt = \left[\frac{1}{3}t^3 \ln t\right]_1^e - \int_1^e \frac{1}{3}t^3 \frac{1}{t}dt$$
$$= \frac{1}{3}e^3 - \left[\frac{1}{9}t^3\right]_1^e = \frac{1}{3}e^3 - \frac{1}{9}(e^3-1)$$
$$= \frac{2}{9}e^3 + \frac{1}{9}$$

또한

$$\int_1^e t^2 dt = \left[\frac{1}{3}t^3\right]_1^e = \frac{1}{3}e^3 - \frac{1}{3}$$

이므로 구하는 정적분의 값은

$$\int_0^{\sqrt{e}} 2x\{g(x)\}^2 dx = \frac{5}{9}e^3 - \frac{2}{9}$$

이다.

[문제 2]
(1) 오각형 ABCDE에 두 대각선 AC, CE를 그어 오각형 ABCDE를 세 개의 삼각형 ABC, ACE, CDE로 나누자.

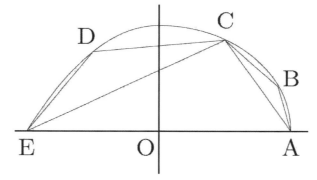

점 A, B, C가 곡선 $y = \sqrt{1-x^2}\,(x>0)$ 위에 놓여 있으므로 삼각형 ABC는 중심이 O(0, 0), 반지름이 1인 원에 내접한다. 그러므로 사인법칙을 적용하면

$$\frac{\overline{AC}}{\sin 150°} = 2, \quad \overline{AC} = 1$$

이때, $\overline{OA} = \overline{OC} = 1$이므로, 삼각형 OAC는 세 변의 길이가 모두 1인 정삼각형이다.

따라서 C$=\left(\dfrac{1}{2},\ \dfrac{\sqrt{3}}{2}\right)$이고 삼각형 ACE의 넓이는

$$\frac{1}{2} \times 2 \times \frac{\sqrt{3}}{2} = \frac{\sqrt{3}}{2}$$

이다.

(2) 문항 (1)에 의하여 삼각형 ACE는 고정되어 있으므로 두 삼각형 ABC, CDE의 넓이가 각각 가장 큰 값을 가질 때 오각형 ABCDE 의 넓이는 최대가 된다.

삼각형 ABC의 넓이는 두 점 A, C를 지나는 직선과 점 B 사이의 거리가 최대일 때 가장 큰 값을 갖는다. 호 AC 위의 점 B에서 현 AC까지의 거리는 선분 OB가 현 AC를 수직이등분할 때 최대가 된다.

$$C = \left(\frac{1}{2},\ \frac{\sqrt{3}}{2}\right) = \left(\cos 60°,\ \sin 60°\right)$$

이므로 B 의 좌표는

$$B = \left(\cos 30°,\ \sin 30°\right) = \left(\frac{\sqrt{3}}{2},\ \frac{1}{2}\right)$$

또한, 삼각형 CDE의 넓이가 최대가 되기 위해서는 두 점 C, E를 지나는 직선과 점 D 사이의 거리가 최대가 되어야 한다.

함수 $f(x)$는 $x = 0$에서

$$\lim_{x \to 0+} \frac{f(x) - 1}{x} = \lim_{x \to 0+} \frac{\sqrt{1 - x^2} - 1}{x} = \lim_{x \to 0+} \frac{-x}{\sqrt{1 - x^2} + 1} = 0$$

$$\lim_{x \to 0-} \frac{f(x) - 1}{x} = \lim_{x \to 0-} \frac{(1 - x^2) - 1}{x} = \lim_{x \to 0-} (-x) = 0$$

이므로, $f(x)$는 구간 $(-1,\ 1)$에서 미분가능하고

$$f'(x) = \begin{cases} -2x & (-1 < x \le 0) \\ -\dfrac{x}{\sqrt{1 - x^2}} & (0 < x < 1) \end{cases}$$

따라서, 점 D에서의 접선과 두 점 C, E를 지나는 직선이 평행할 때 삼각형 CDE의 넓이는 최대가 된다.

두 점 C, E를 지나는 직선의 기울기가 $\dfrac{\dfrac{\sqrt{3}}{2} - 0}{\dfrac{1}{2} - (-1)} = \dfrac{1}{\sqrt{3}}$이므로, 점 D의 x좌표는

$f'(x) = \dfrac{1}{\sqrt{3}}$ 을 만족하는 값이다. $f'(x) > 0$이기 위해서는 $x < 0$이어야 하므로

$$f'(x) = -2x = \frac{1}{\sqrt{3}},\ \ x = -\frac{1}{2\sqrt{3}}$$

따라서 점 D의 좌표는 $\left(-\dfrac{1}{2\sqrt{3}},\ \dfrac{11}{12}\right)$이다.

이로부터 오각형 ABCDE의 넓이가 최대가 되도록 하는 꼭짓점 B, C, D의 좌표는

$$B\left(\dfrac{\sqrt{3}}{2},\ \dfrac{1}{2}\right),\ C\left(\dfrac{1}{2},\ \dfrac{\sqrt{3}}{2}\right),\ D\left(-\dfrac{\sqrt{3}}{6},\ \dfrac{11}{12}\right)$$

이다.

[문제 3]

(1) 원 위의 점 $P(\cos\theta,\ \sin\theta)$에서의 접선의 방정식은

$$\ell : (\cos\theta)x + (\sin\theta)y = 1, \quad \left(y = -\dfrac{\cos\theta}{\sin\theta}x + \dfrac{1}{\sin\theta}\right)$$

이고, 점 $A(-1,\ 0)$을 지나고 직선 ℓ에 수직인 직선 ℓ'의 방정식은

$$\ell' : (\cos\theta)y - (\sin\theta)(x+1) = 0$$

이다. 두 직선 ℓ, ℓ'의 교점의 x좌표를 구하면

$$(\sin^2\theta)(x+1) = -(\cos^2\theta)x + \cos\theta, \ x = \cos\theta - \sin^2\theta$$

이다. 교점의 y좌표는

$$\cos\theta(\cos\theta - \sin^2\theta) + (\sin\theta)y = 1, \ y = \sin\theta(1+\cos\theta)$$

그러므로 점 A에서 직선 ℓ에 내린 수선의 발은

$$H\big(\cos\theta - \sin^2\theta,\ \sin\theta(1+\cos\theta)\big)$$

이다.

(2) 삼각형 APH 는 $\angle AHP = 90\,°$인 직각삼각형이다.

$$\overline{HA} = \sqrt{(\cos\theta - \sin^2\theta + 1)^2 + (\sin\theta + \sin\theta\cos\theta)^2} = 1 + \cos\theta,$$

$$\overline{HP} = \sqrt{(\cos\theta - \sin^2\theta - \cos\theta)^2 + (\sin\theta + \sin\theta\cos\theta - \sin\theta)^2} = \sin\theta$$

이므로 삼각형 APH의 넓이를 θ의 함수 $f(\theta)$로 나타내면

$$f(\theta) = \dfrac{1}{2}(1 + \cos\theta)\sin\theta$$

함수 $f(\theta)$의 도함수는

$$f'(\theta) = -\dfrac{1}{2}\sin\theta\sin\theta + \dfrac{1}{2}(1+\cos\theta)\cos\theta = \cos^2\theta + \dfrac{1}{2}\cos\theta - \dfrac{1}{2}$$

$$= \left(\cos\theta - \dfrac{1}{2}\right)(\cos\theta + 1)$$

이므로 함수 $f(\theta)$의 증감표는 다음과 같다.

θ	$0 < \theta < \dfrac{\pi}{3}$	$\dfrac{\pi}{3}$	$\dfrac{\pi}{3} < \theta < \pi$
$f'(\theta)$	+	0	−
$f(\theta)$	↗	$\dfrac{3\sqrt{3}}{8}$	↘

구간 $\left(0,\dfrac{\pi}{3}\right)$에서 $f'(\theta)>0$이고 구간 $\left(\dfrac{\pi}{3},\ \pi\right)$에서 $f'(\theta)<0$이므로, 함수 $f(\theta)$는 구간 $\left(0,\ \dfrac{\pi}{3}\right)$에서 증가하고, 구간 $\left(\dfrac{\pi}{3},\ \pi\right)$에서 감소한다. 따라서 삼각형 APH의 넓이 $f(\theta)$는 $\theta=\dfrac{\pi}{3}$일 때 최댓값

$$f\left(\frac{\pi}{3}\right)=\frac{1}{2}\left(1+\frac{1}{2}\right)\frac{\sqrt{3}}{2}=\frac{3\sqrt{3}}{8}$$

을 갖는다.

[문제 4]

(1) 함수 $f(x)$의 정의에 의하여 $x=2$일 때

$$f(2)=\int_0^2\left|\cos\frac{\pi t}{2}\right|dt=\int_0^1\cos\frac{\pi t}{2}dt-\int_1^2\cos\frac{\pi t}{2}dt$$
$$=\left[\frac{2}{\pi}\sin\frac{\pi t}{2}\right]_0^1-\left[\frac{2}{\pi}\sin\frac{\pi t}{2}\right]_1^2=\frac{4}{\pi}$$

그러므로 함수 $f(x)$가 $x=2$에서 연속이기 위해서는 $\displaystyle\lim_{x\to2+}f(x)=\frac{4}{\pi}$가 성립해야 한다.

또한 함수 $f(x)$는 $x=2$에서 미분가능하므로

$$f'(2)=\lim_{x\to2-}\frac{f(x)-f(2)}{x-2}=\lim_{x\to2+}\frac{f(x)-f(2)}{x-2}$$

실수 전체에서 정의된 함수 g를 $g(x)=\displaystyle\int_0^x\left|\cos\frac{\pi t}{2}\right|dt$라고 하면, $g(x)$는 $x=2$에서 미분가능하고

$$g'(2)=\lim_{x\to2-}\frac{g(x)-g(2)}{x-2}=\lim_{x\to2-}\frac{f(x)-f(2)}{x-2}$$

정적분과 미분의 관계에 의하여 $g'(2)=\left|\cos\dfrac{2\pi}{2}\right|=1$이므로

$$f'(2)=\lim_{x\to2-}\frac{f(x)-f(2)}{x-2}=\lim_{x\to2+}\frac{f(x)-f(2)}{x-2}=1$$

따라서, $2<x\le r+a$일 때

$$y=\sqrt{r^2-(x-a)^2},\quad (x-a)^2+y^2=r^2,\ y\ge0$$

으로 표현되는 함수의 그래프는 점 $\left(2,\ \dfrac{4}{\pi}\right)$를 지나고 점 $\left(2,\ \dfrac{4}{\pi}\right)$에서 접선의 기울기가 1인 원의 일부이다. 점 $\left(2,\ \dfrac{4}{\pi}\right)$와 원의 중심 $(a,\ 0)$사이의 거리는 r이고, 이 두 점을 지나는 직선의 기울기가 -1이므로

$$a=2+\frac{4}{\pi},\quad r=\sqrt{(a-2)^2+\frac{16}{\pi^2}}=\frac{4\sqrt{2}}{\pi}$$

이다.

(2) 함수 $f(x)$는 구간 $[0,\ 2]$에서 다음과 같다.

$$f(x) = \int_0^x \cos\frac{\pi t}{2} dt = \left[\frac{2}{\pi}\sin\frac{\pi t}{2}\right]_0^x = \frac{2}{\pi}\sin\frac{\pi x}{2} \quad (0 \le x < 1)$$

$$f(x) = \int_0^1 \cos\frac{\pi t}{2} dt - \int_1^x \cos\frac{\pi t}{2} dt$$

$$= \left[\frac{2}{\pi}\sin\frac{\pi t}{2}\right]_0^1 - \left[\frac{2}{\pi}\sin\frac{\pi t}{2}\right]_1^x = \frac{4}{\pi} - \frac{2}{\pi}\sin\frac{\pi x}{2} \ (1 \le x \le 2)$$

정적분 $\displaystyle\int_0^{a+r} f(x)dx$를 구간을 나누어 나타내면

$$\int_0^{a+r} f(x)dx = \int_0^1 f(x)dx + \int_1^2 f(x)dx + \int_2^{a+r} f(x)dx$$

각각의 정적분의 값을 구하면

$$\int_0^1 f(x)dx = \int_0^1 \frac{2}{\pi}\sin\frac{\pi x}{2}dx$$

$$= \left[-\frac{4}{\pi^2}\cos\frac{\pi x}{2}\right]_0^1 = \frac{4}{\pi^2}$$

$$\int_1^2 f(x)dx = \int_1^2 \left(\frac{4}{\pi} - \frac{2}{\pi}\sin\frac{\pi x}{2}\right)dx$$

$$= \left[\frac{4}{\pi}x + \frac{4}{\pi^2}\cos\frac{\pi x}{2}\right]_1^2 = \frac{4}{\pi} - \frac{4}{\pi^2}$$

이고, 정적분 $\displaystyle\int_2^{a+r} f(x)dx$는 밑변과 높이가 $\dfrac{r}{\sqrt{2}}$인 직각삼각형의 넓이와, 반지름의 길이가 r이고 중심각의 크기가 $\dfrac{3\pi}{4}$인 부채꼴의 넓이의 합을 나타낸다. 즉

$$\int_2^{a+r} f(x)dx = \frac{1}{4}r^2 + \frac{1}{2}r^2\frac{3\pi}{4} = \frac{4(2+3\pi)}{\pi^2}$$

이다. 따라서

$$\int_0^{a+r} f(x)dx = \frac{4}{\pi} + \frac{4(2+3\pi)}{\pi^2} = \frac{4(2+4\pi)}{\pi^2}$$

이다.

8. 2022학년도 숭실대 모의 논술

[문제 1]

구간 $[0,\ \infty)$에서 함수 $f(x)$가 아래와 같이 주어져 있다.

$$f(x) = \lim_{n\to\infty} \frac{-x^{n+2} + ax^{n+1} + bx^n + c\cos\left(\dfrac{4\pi x}{3}\right)}{x^n + 1} \ (a,\ b,\ c\text{는 상수})$$

이때 다음 문항에 답하시오.

(1) 함수 $f(x)$가 구간 $[0, \infty)$에서 연속이 되도록 하는 a, b, c에 대하여 a를 b와 c의 식으로 나타내시오.

(2) 함수 $f(x)$가 구간 $(0, \infty)$에서 미분가능하도록 하는 a, b, c에 대하여 b를 c의 식으로 나타내시오.

(3) 함수 $f(x)$가 구간 $(0, \infty)$에서 미분가능할 때, 구간 $[0, \infty)$에서 방정식 $f(x) = 0$이 서로 다른 두 개의 해를 갖도록 하는 양수 c의 값을 구하시오.

[문제 2]

(1) 이차함수 $p(t) = t^2 + bt + c$에 대하여 정적분 $\displaystyle\int_0^x \frac{p(t) + p'(t)}{3} e^t dt$를 구하시오. ($b, c$는 상수)

(2) $f(0) = 0$, $f\left(\dfrac{1}{2}\right) = 3$이고 도함수가 실수 전체에서 연속인 함수 $f(t)$에 대하여

$$f_1(x) = \int_0^x \frac{f(t) + f'(t)}{3} e^t dt$$

$$f_{n+1}(x) = \int_0^x \frac{f_n(t) + f_n{}'(t)}{3} e^t dt \quad (n\text{은 자연수})$$

로 정의하자. 이때 급수 $\displaystyle\sum_{n=1}^{\infty} f_n\left(\frac{1}{2}\right)$의 합을 구하시오.

[문제 3] 아래 제시문을 읽고 다음 논제에 답하시오. (30점)

> 함수 $f(x)$의 $x = a$에서의 미분계수 $f'(a)$는 곡선 $y = f(x)$ 위의 점 $(a, f(a))$에서의 접선의 기울기와 같다.
>
> [출처 : 수학II「미분계수와 도함수」]

함수 $f(x)$와 $g(x)$가 아래와 같이 주어져 있다.

$$f(x) = x^2 \quad (x \geq 0)$$

$$g(x) = -ax^2 + c \, (x < 0) \left(a, \ c \ \text{는 상수이고 } a > 0, \ \frac{1}{4} < c < \frac{3}{2}\right)$$

이때 다음 문항에 답하시오.

(1) 곡선 $y = f(x)$ 위의 점 $P = (1, 1)$에 대하여 다음 조건을 만족하는 곡선 $y = g(x)$ 위의 한 점 Q를 찾을 수 있을 때 함수 $g(x)$의 계수 a와 c의 관계식을 구하시오.

    조건 : 곡선 $y = f(x)$ 위의 점 $P = (1, 1)$에서의 접선과 y축의 교점을 R, 곡선 $y = g(x)$ 위의 점 Q에서의 접선과 y축의 교점을 S라고 할 때, 점 P, Q, R, S를 지나고 중심이 y축 위에 있는 원이 존재한다.

(2) 점 $P = (1, 1)$에 대하여 문항 (1)로부터 주어지는 사각형 $PRQS$의 넓이가 최대가 되도록 하는 함수 $g(x)$의 계수 a와 c를 구하시오.

[문제 4]

〈그림 1〉과 같이 삼각형 ABC에서 $\angle BAC$의 이등분선이 변 BC와 만나는 점을 P라고 하고, 점 P를 지나고 직선 AB에 평행한 직선이 변 AC와 만나는 점을 Q라고 하자. 또한, $\angle PQC$의 이등분선이 변 BC와 만나는 점을 R라고 하고, 점 R를 지나고 직선 PQ에 평행한 직선이 변 AC와 만나는 점을 S라고 하자.

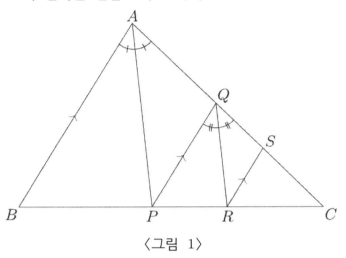

〈그림 1〉

이때 다음 문항에 답하시오.

(1) 사인법칙을 이용하여 $\overline{AB} : \overline{AC} = \overline{BP} : \overline{PC}$가 성립함을 보이시오.

(2) $\overline{AB} = 4$, $\overline{BC} = 5$이고 삼각형 ABP와 삼각형 QRS의 넓이의 비가 $27 : 1$일 때, 삼각형 ABC의 넓이를 구하시오.

[문제 1]

(1) $0 \leq x < 1$일 때: $\lim_{n \to \infty} x^n = 0$이므로

$$\lim_{n \to \infty} \frac{-x^{n+2} + ax^{n+1} + bx^n + c\cos\left(\dfrac{4\pi x}{3}\right)}{x^n + 1} = c\cos\left(\dfrac{4\pi x}{3}\right)$$

$x = 1$일 때: $\lim_{n \to \infty} x^n = 1$이므로

$$\lim_{n \to \infty} \frac{-x^{n+2} + ax^{n+1} + bx^n + c\cos\left(\dfrac{4\pi x}{3}\right)}{x^n + 1} = \frac{-1 + a + b - \dfrac{c}{2}}{2}$$

$x > 1$일 때: $\lim_{n \to \infty} \dfrac{1}{x^n} = 0$, $-\dfrac{1}{x^n} \leq \dfrac{\cos\left(\dfrac{4\pi x}{3}\right)}{x^n} \leq \dfrac{1}{x^n}$ 이므로 $\lim_{n \to \infty} \dfrac{\cos\left(\dfrac{4\pi x}{3}\right)}{x^n} = 0$이다.

그러므로

$$\lim_{n \to \infty} \frac{-x^{n+2} + ax^{n+1} + bx^n + c\cos\left(\frac{4\pi x}{3}\right)}{x^n + 1} = \lim_{n \to \infty} \frac{-x^2 + ax + b + \frac{c\cos\left(\frac{4\pi x}{3}\right)}{x^n}}{1 + \frac{1}{x^n}}$$

$$= -x^2 + ax + b$$

위의 세 경우를 종합하면 다음을 얻는다.

$$f(x) = \begin{cases} c\cos\dfrac{4\pi x}{3}, & 0 \le x < 1 \\[2mm] \dfrac{-2 + 2a + 2b - c}{4}, & x = 1 \\[2mm] -x^2 + ax + b, & x > 1 \end{cases} \quad \cdots\cdots \; \text{㉠}$$

함수 $f(x)$는 구간 $[0, 1)$과 $(1, \infty)$에서 연속이므로 $f(x)$가 구간 $[0, \infty)$에서 연속이기 위해서는 $x = 1$에서 연속, 즉 $\displaystyle\lim_{x \to 1-} f(x) = f(1) = \lim_{x \to 1+} f(x)$이면 된다. 각 극한을 구하면

$$\lim_{x \to 1-} f(x) = c\cos\frac{4\pi}{3} = -\frac{c}{2}, \quad \lim_{x \to 1+} f(x) = -1 + a + b \quad \cdots\cdots \; \text{㉡}$$

이므로

$$a = 1 - b - \frac{c}{2} \quad \cdots\cdots \; \text{㉢}$$

이다.

(2) 함수 $f(x)$는 구간 $(0, 1)$과 $(1, \infty)$에서 미분가능하다. 그러므로 $f(x)$가 구간 $(0, \infty)$에서 미분가능하기 위해서는 $x = 1$에서 미분가능하면 된다. 함수 $f(x)$가 $x = 1$에서 미분가능하면 $x = 1$에서 연속이어야 하므로 식 ㉡으로부터

$$f(1) = c\cos\frac{4\pi}{3} = -1 + a + b$$

이다. 따라서

$$\lim_{x \to 1-} \frac{f(x) - f(1)}{x - 1} = \lim_{x \to 1-} \frac{c\cos\dfrac{4\pi x}{3} - c\cos\dfrac{4\pi}{3}}{x - 1} = -\frac{4\pi c}{3}\sin\frac{4\pi}{3} = \frac{2\pi c}{\sqrt{3}},$$

$$\lim_{x \to 1+} \frac{f(x) - f(1)}{x - 1} = \lim_{x \to 1+} \frac{(-x^2 + ax + b) - (-1 + a + b)}{x - 1} = -2 + a = -1 - b - \frac{c}{2}$$

함수 $f(x)$가 $x = 1$에서 미분가능하려면 $\displaystyle\lim_{x \to 1-} \frac{f(x) - f(1)}{x - 1} = \lim_{x \to 1+} \frac{f(x) - f(1)}{x - 1}$이어야 하므로

$$b = -1 - \left(\frac{1}{2} + \frac{2\pi}{\sqrt{3}}\right)c \quad \cdots\cdots \; \text{㉣}$$

(3) $c > 0$일 때 구간 $[0, 1]$에서 방정식 $f(x) = 0$의 해는 $x = \dfrac{3}{8}$ 하나뿐이다. $x > 1$일 때, 식 ㉠, ㉡, ㉣로부터

$$f(x) = -x^2 + \left(2 + \frac{2\pi c}{\sqrt{3}}\right)x - 1 - \left(\frac{1}{2} + \frac{2\pi}{\sqrt{3}}\right)c = -\left(x - 1 - \frac{\pi c}{\sqrt{3}}\right)^2 + \frac{\pi^2 c^2}{3} - \frac{c}{2}$$

이므로, $f(x)$는 $x = 1 + \dfrac{\pi c}{\sqrt{3}}$에서 최댓값 $\dfrac{\pi^2 c^2}{3} - \dfrac{c}{2}$를 갖는다. 구간 $(1,\ \infty)$에서 $f(x) = 0$

이 꼭 하나의 해를 갖는 것은 $f(x)$의 최댓값이 0일 때이므로 $c = \dfrac{3}{2\pi^2}$이다.

(참고: $c = \dfrac{3}{2\pi^2}$일 때 $f(x) = 0$은 구간 $[0,\ \infty)$에서 두 점 $x = \dfrac{3}{8}$, $x = 1 + \dfrac{\pi c}{\sqrt{3}}$만을 해로

갖는다.)

[문제 2]

(1) 제시문에 $f(t) = p(t)$, $g(t) = \dfrac{1}{3}e^t$를 대입하고 $g'(t) = g(t)$를 이용하면

$$\frac{1}{3}\int p(t)e^t dt = \frac{1}{3}p(t)e^t - \frac{1}{3}\int p'(t)e^t dt$$

를 얻을 수 있다. 또 위의 식으로부터

$$\int_0^x \frac{p(t) + p'(t)}{3}e^t dt = \frac{1}{3}p(t)e^t\Big|_0^x = \frac{1}{3}\left(p(x)e^x - p(0)\right) \ \cdots\cdots \ \text{㉠}$$
$$= \frac{1}{3}\left((x^2 + bx + c)e^x - c\right)$$

(2) 식 ㉠은 도함수가 실수 전체에서 연속인 함수 $f(t)$에 대해 성립하므로 구간 $\left[0,\ \dfrac{1}{2}\right]$

에서

$$f_1\left(\frac{1}{2}\right) = \int_0^{\frac{1}{2}} \frac{f(t) + f'(t)}{3}e^t dt = \frac{1}{3}f(t)e^t\Big|_0^{\frac{1}{2}} = \frac{1}{3}\left(f\left(\frac{1}{2}\right)\sqrt{e} - f(0)\right) \ \cdots\cdots \ \text{㉡}$$

$f(0) = 0$이므로 $f_1\left(\dfrac{1}{2}\right) = \dfrac{\sqrt{e}}{3}f\left(\dfrac{1}{2}\right)$이다.

$f_n(x)$의 정의에 따라 모든 자연수 n에 대해 $f_n(0) = 0$이므로 식 ㉡을 $f_1(t)$에 적용하여

$f_2\left(\dfrac{1}{2}\right)$을 구하면

$$f_2\left(\frac{1}{2}\right) = \frac{1}{3}f_1\left(\frac{1}{2}\right)\sqrt{e} = \left(\frac{\sqrt{e}}{3}\right)^2 f\left(\frac{1}{2}\right)$$

따라서 자연수 n에 대하여

$$f_{n+1}\left(\frac{1}{2}\right) = \frac{\sqrt{e}}{3}f_n\left(\frac{1}{2}\right) = \left(\frac{\sqrt{e}}{3}\right)^{n+1} f\left(\frac{1}{2}\right)$$

이 성립하므로 $f_n\left(\dfrac{1}{2}\right)$은 첫째항이 $\dfrac{\sqrt{e}}{3}f\left(\dfrac{1}{2}\right)$이고 공비 $\dfrac{\sqrt{e}}{3}$를 가지는 등비수열이다. 공비

$\dfrac{\sqrt{e}}{3}$ 는 1보다 작으므로 등비급수 $\displaystyle\sum_{n=1}^{\infty} f_n\left(\dfrac{1}{2}\right)$ 은 수렴하고 그 합은

$$\sum_{n=1}^{\infty} f\left(\dfrac{1}{2}\right)\left(\dfrac{\sqrt{e}}{3}\right)^n = \dfrac{\sqrt{e}}{3} f\left(\dfrac{1}{2}\right)\dfrac{1}{1-\dfrac{\sqrt{e}}{3}} = \dfrac{3\sqrt{e}}{3-\sqrt{e}}$$

이다.

[문제 3]

(1) 점 P, Q, R, S가 모두 한 원 위의 점이고 원의 중심과 R, S가 y축 위에 있으므로 $\angle RPS$, $\angle SQR$은 직각이다. 주어진 조건을 만족하는 점 Q의 좌표를 $(r,\ -ar^2+c)$라고 하면 위의 점을 지나는 직선의 방정식은 다음과 같다.

직선 $PR=$점 P에서의 접선 : $y=2x-1$

직선 $PS=$점 P에서의 접선에 수직이고 점 P를 지나는 직선 : $y=-\dfrac{1}{2}x+\dfrac{3}{2}$

직선 $QS=$점 Q에서의 접선 : $y=-2arx+ar^2+c$

직선 $QR=$점 Q에서의 접선에 수직이고 점 Q를 지나는 직선 : $y=\dfrac{1}{2ar}x-ar^2-\dfrac{1}{2a}+c$

따라서 다음이 성립한다.

[점 R의 y좌표] $=$ [직선 PR의 y절편] $=$[직선 QR의 y절편]

[점 S의 y좌표] $=$ [직선 QS의 y절편] $=$[직선 PS의 y절편]

위로부터

$$-1=-ar^2-\dfrac{1}{2a}+c \Rightarrow ar^2=-\dfrac{1}{2a}+c+1 \ \cdots\cdots \ ㉠$$

$$\dfrac{3}{2}=ar^2+c \Rightarrow ar^2=\dfrac{3}{2}-c \cdots\cdots \ ㉡$$

를 얻을 수 있다. 식 ㉠, ㉡로부터 a와 c의 관계식은 다음과 같다.

$$-\dfrac{1}{2a}+c=\dfrac{1}{2}-c \Rightarrow a(4c-1)=1 \ \cdots\cdots \ ㉢$$

(참고: 이때 식 ㉢에서 $a>0$이므로 $c>\dfrac{1}{4}$이어야 하고, 식 ㉡에서 $ar^2>0$이므로 $c<\dfrac{3}{2}$일 때 식 ㉡을 만족하는 r이 존재한다. 또 식 ㉠에서

$$-\dfrac{1}{2a}+c+1=-\dfrac{4c-1}{2}+c+1=-c+\dfrac{3}{2}>0$$

이므로 $c<\dfrac{3}{2}$일 때 식 ㉠을 만족하는 r이 존재한다.)

(2) $P=(1,\ 1)$, $Q=\left(r,\ -ar^2+c\right)$일 때 $R=(0,\ -1)$, $S=\left(0,\ \dfrac{3}{2}\right)$이다. 따라서 사각형

$PRQS$의 넓이를 r로 나타내면 $\frac{1}{2} \cdot \frac{5}{2} \cdot (1-r)$이므로, 점 Q의 x좌표가 가장 작을 때 사각형 $PRQS$의 넓이가 최대임을 알 수 있다. 식 ⓒ, ⓔ으로부터

$$r^2 = \frac{3-2c}{2a} = \frac{(3-2c)(4c-1)}{2} \Rightarrow r = -\sqrt{\frac{(3-2c)(4c-1)}{2}} \quad \left(\frac{1}{4} < c < \frac{3}{2}\right)$$

따라서 $(3-2c)(4c-1)$이 최댓값을 가질 때 r은 최솟값을 갖는다.

$(3-2c)(4c-1) = -8\left(c - \frac{7}{8}\right)^2 + \frac{25}{8}$ 은 $c = \frac{7}{8}$일 때 최댓값을 갖고 식 ⓔ으로부터 $a = \frac{2}{5}$이다. 그러므로 사각형 $PRQS$의 넓이가 최대가 되도록 하는 함수 $g(x)$의 계수는

$$a = \frac{2}{5}, \quad c = \frac{7}{8}$$

이다.

[문제 4]
(1) 〈그림 1〉에서

$$\theta_1 = \angle BAP = \angle PAC, \; \theta_2 = \angle BPA$$

라 하자. 두 삼각형 ABP와 APC에 사인법칙을 적용하면 다음 두 식

$$\frac{\overline{AB}}{\sin\theta_2} = \frac{\overline{BP}}{\sin\theta_1} \quad \cdots\cdots \; ㉠$$

$$\frac{\overline{AC}}{\sin(\pi-\theta_2)} = \frac{\overline{PC}}{\sin\theta_1} \quad \cdots\cdots \; ㉡$$

을 얻는다. 식 ㉡에서 $\sin(\pi-\theta_2) = \sin\theta_2$이므로

$$\frac{\overline{AC}}{\sin\theta_2} = \frac{\overline{PC}}{\sin\theta_1} \quad \cdots\cdots \; ㉢$$

식 ㉠과 ㉢으로부터 다음 관계

$$\frac{\sin\theta_1}{\sin\theta_2} = \frac{\overline{BP}}{\overline{AB}} = \frac{\overline{PC}}{\overline{AC}} \quad \cdots\cdots \; ㉣$$

를 얻을 수 있고 식 리로부터 비례식

$$\overline{AB} : \overline{AC} = \overline{BP} : \overline{PC} \cdots\cdots \; ㉤$$

이 성립함을 알 수 있다.

(2) $\overline{AC} = b$로 두면 $\overline{AB} = 4$이므로 식 ㉤으로부터 다음 식이 성립한다.

$$\overline{BP} : \overline{PC} = \overline{AB} : \overline{AC} = 4 : b \quad \cdots\cdots \; ㉥$$

두 삼각형 ABC와 QPC는 닮은꼴이고 닮음비는 $\overline{BC}$와 $\overline{PC}$의 비와 같으며 식 ㉥으로부터

$$\overline{BC} : \overline{PC} = 4+b : b$$

이다. 따라서 두 삼각형 ABC와 QPC의 닮음비는 $\frac{4+b}{b} : 1$이다.

$\overline{AB}$와 $\overline{QP}$가 평행하므로 두 삼각형 ABP, APQ의 넓이의 비는 $\overline{AB}$와 $\overline{QP}$의 비와 같고 이것은 위에서 구한 두 삼각형 ABC와 QPC의 닮음비와 같다. 즉, 두 삼각형 ABP와 APQ의 넓이의 비는 $\dfrac{4+b}{b} : 1$이다.

또 $\overline{AB}$와 $\overline{QP}$가 평행하고, $\overline{AP}$와 $\overline{QR}$는 각각 $\angle BAC$와 $\angle PQC$의 이등분선이므로 $\overline{AP}$와 $\overline{QR}$는 평행하다. $\overline{AP}$와 $\overline{QR}$가 평행하면 앞에서와 마찬가지로 두 삼각형 APQ와 QPR의 넓이의 비는 $\overline{AP}$와 $\overline{QR}$의 비와 같다. 두 삼각형 APC와 QRC는 닮은꼴이고 닮음비는 앞에서와 마찬가지로 $\dfrac{4+b}{b} : 1$이므로 두 삼각형 APQ와 QPR의 넓이의 비는 $\dfrac{4+b}{b} : 1$이다. 앞에서와 같은 방법으로 두 삼각형 QPR와 QRS의 넓이의 비는 $\overline{QP}$와 $\overline{SR}$의 비와 같고 $\dfrac{4+b}{b} : 1$이다.

따라서 두 삼각형 ABP와 QRS의 넓이의 비는 $\left(\dfrac{4+b}{b}\right)^3 : 1$이다. 그런데 두 삼각형 넓이의 비가 $27 : 1$이므로,

$$\left(\frac{4+b}{b}\right)^3 = 27, \quad b = 2$$

$\angle B = \theta$로 두고 삼각형 ABC에 코사인법칙을 적용하면

$$\cos\theta = \frac{4^2 + 5^2 - 2^2}{2 \times 4 \times 5} = \frac{37}{40}$$

$0 < \theta < \pi$로부터 $\sin\theta > 0$이므로

$$\sin\theta = \sqrt{1 - \cos^2\theta} = \frac{\sqrt{231}}{40}$$

따라서 삼각형 ABC의 넓이는

$$\frac{1}{2} \times \overline{AB} \times \overline{BC} \times \sin\theta = \frac{4 \times 5}{2} \frac{\sqrt{231}}{40} = \frac{\sqrt{231}}{4}$$

이다.

9. 2021학년도 숭실대 수시 논술 (자연 1)

[문제 1]

원점에서 출발하여 수직선 위를 움직이는 두 점 A와 B는 다음 조건을 모두 만족한다.

(i) 점 A의 시각 t에서의 속도는 $6t-2$이다.
(ⅱ) 점 B의 시각 t에서의 위치는 점 A의 시각 t^2에서의 위치와 같다.

다음 문항에 답하시오.

(1) 두 점 A와 B가 시각 $t = 0$ 이후에 만나는 시각을 모두 구하시오.

(2) 두 점 A와 B가 시각 $t = 0$ 이후에 마지막으로 만날 때까지 두 점 사이의 거리가 최대가 되는 시각과 그 때 두 점 사이의 거리를 구하시오.

[문제 2]

$0 \leq x \leq 2$에서 정의된 증가함수 $f(x)$는 2보다 큰 실수 a에 대하여 다음 조건을 모두 만족한다.

(i) $f(x)$는 닫힌구간 $[0, 2]$에서 연속이고 열린구간 $(0, 2)$에서 미분가능하다.

(ii) $f(0) = 0$

(iii) 닫힌구간 $[0, 1]$에 속하는 모든 x에 대하여
$$f(1+x) + af(1-x) = 3 \text{(단, } a > 2\text{)}$$

(iv) $\displaystyle\int_0^2 f(x)dx = 2$

함수 $f(x)$의 역함수를 $g(x)$라고 할 때, 정적분 $\displaystyle\int_0^{f(1)} g(x)dx$가 최대가 되는 실수 a의 값을 구하시오.

[문제 3]

흰 구슬 2개와 검은 구슬 3개가 들어 있는 주머니가 있다. A부터 시작하여 A와 B가 흰 구슬이 모두 나올 때까지 번갈아가며 구슬을 1개씩 임의로 꺼낸다. 두 번째 흰 구슬을 꺼낸 사람이 승리한다고 할 때, 다음 문항에 답하시오. (단, 꺼낸 구슬은 다시 넣지 않는다.)

(1) A가 승리할 확률을 구하시오.

(2) B가 승리했을 때, B가 꺼낸 구슬이 총 2개일 확률을 구하시오.

(3) 흰 구슬을 꺼낸 사람은 연이어 1개 더 구슬을 꺼내는 규칙을 추가했을 때, A가 승리할 확률을 구하시오.

[문제 4]

좌표평면에 원 $C: x^2 + y^2 = 1$과 원 $D: (x-t)^2 + y^2 = t^2 - 1(t > 1)$이 있다. 〈그림 1〉과 같이 두 원의 교점을 P와 Q, 원 D의 중심을 R라고 할 때, 부채꼴 PRQ의 넓이를 $A(t)$라고 하자. 부채꼴 PRQ의 넓이의 변화율의 극한값 $\displaystyle\lim_{t \to \infty} \frac{dA}{dt}$를 구하시오.

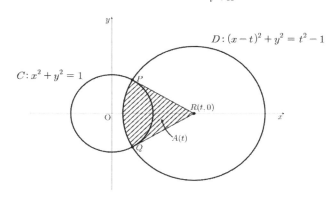

[문제 1]

(1) 점 A의 시각 t에서의 위치를 $A(t)$, 점 B의 시각 t에서의 위치를 $B(t)$라고 하면

$$A(t) = \int_0^t (6x-2)dx = 3t^2 - 2t, \quad B(t) = A(t^2) = 3t^4 - 2t^2$$

이다. 이 때 $d(t) = B(t) - A(t)$로 놓으면

$$d(t) = B(t) - A(t) = 3t^4 - 2t^2 - (3t^2 - 2t) = 3t^4 - 5t^2 + 2t = t(t-1)(3t^2 + 3t - 2)$$

이고, 점 A와 점 B가 $t=0$ 이후 다시 만나는 시각은 방정식 $d(t)=0$의 양수 해이다.

이 양수 해는 $t = \dfrac{-3+\sqrt{33}}{6}$, $t=1$이다.

(2) $\dfrac{-3+\sqrt{33}}{6} < 1$이므로 두 점은 $t=1$에서 마지막으로 만난다.

$0 < t < 1$의 범위에서 두 점 사이의 거리 $|d(t)|$가 최대가 되기 위해서는 $d(t)$가 최대 또는 최소여야 한다. 함수 $d(t)$의 도함수는

$$d'(t) = 12t^3 - 10t + 2 = 2(t+1)(6t^2 - 6t + 1)$$

이므로 $d(t)$는 $t_1 = \dfrac{3-\sqrt{3}}{6}$과 $t_2 = \dfrac{3+\sqrt{3}}{6}$에서 극값을 갖고 $0 < t_1 < t_2 < 1$이다.

t_1과 t_2가 $6t^2 - 6t + 1 = 0$의 해이므로 $t_i^2 = t_i - \dfrac{1}{6}$, $t_i^2 - t_i = -\dfrac{1}{6}$ (단, $i=1,2$)을 이용하여 $d(t_1)$과 $d(t_2)$를 구하면 다음과 같다.

$$d(t_1) = (t_1^2 - t_1)(3t_1^2 + 3t_1 - 2) = -\dfrac{1}{6}\left(6t_1 - \dfrac{5}{2}\right) = -t_1 + \dfrac{5}{12} = \dfrac{-1+2\sqrt{3}}{12}$$

$$d(t_2) = -\dfrac{1}{6}\left(6t_2 - \dfrac{5}{2}\right) = -t_2 + \dfrac{5}{12} = \dfrac{-1-2\sqrt{3}}{12}$$

$|d(t_2)| > |d(t_1)|$이므로 $0 < t < 1$에서 두 점 사이의 거리는 시각 $t_2 = \dfrac{3+\sqrt{3}}{6}$에서 최대가 되고 이 때의 거리는 $|d(t_2)| = \dfrac{1+2\sqrt{3}}{12}$이다.

[문제 2]

조건 (ⅱ)에 의해 $f(0) = 0$이므로 함수 $f(x)$와 역함수 $g(x)$는 관계식

$$\int_0^1 f(x)dx + \int_0^{f(1)} g(x)dx = 1 \times f(1)$$

을 만족한다.

조건 (ⅲ)에 $x=0$을 대입하면 $f(1) + af(1) = (a+1)f(1) = 3$이므로 $f(1) = \dfrac{3}{a+1}$이다.

조건 (ⅲ), (ⅳ)와 치환적분법을 이용하면

$$3 = \int_0^1 3dx = \int_0^1 (f(1+x) + af(1-x))dx$$

$$= \int_1^2 f(x)dx + a\int_0^1 f(x)dx$$

$$= 2 - \int_0^1 f(x)dx + a\int_0^1 f(x)dx$$

이므로 $\displaystyle\int_0^1 f(x)dx = \dfrac{1}{a-1}$ 이다.

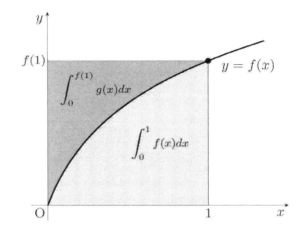

따라서 정적분 $\displaystyle\int_0^{f(1)} g(x)dx$ 는 실수 a 에 대한 함수 $h(a)$ 로 다음과 같이 쓸 수 있다.

$$h(a) = \int_0^{f(1)} g(x)dx = f(1) - \int_0^1 f(x)dx = \frac{3}{a+1} - \frac{1}{a-1} = \frac{2a-4}{a^2-1} \text{(단, } a > 2)$$

도함수 $h'(a) = \dfrac{2(a^2-1) - 2a(2a-4)}{\left(a^2-1\right)^2} = \dfrac{-2a^2+8a-2}{\left(a^2-1\right)^2}$ 는 $a = 2 \pm \sqrt{3}$ 에서 0이므로 $h(a)$ 의 증가와 감소를 다음과 같은 표로 나타낼 수 있다.

a	2	$\cdots$	$2+\sqrt{3}$	$\cdots$
$h'(a)$		+	0	−
$h(a)$		↗	$2-\sqrt{3}$	↘

그러므로 함수 $h(a)$ 는 구간 $(2, \infty)$ 에서 $a = 2+\sqrt{3}$ 일 때 최댓값 $2-\sqrt{3}$ 을 갖는다.

[문제 3]

(1) A가 승리하기 위해서는 3번째 또는 5번째 뽑은 구슬이 두 번째 흰 구슬이어야 한다. 각각의 경우를 그림으로 나타내면 다음과 같다.

(i)

(ii)

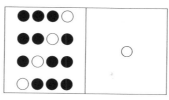

(ⅰ)의 확률은 $2 \times \dfrac{3 \cdot 2 \cdot 1}{5 \cdot 4 \cdot 3} = \dfrac{1}{5} = 0.2$이고, (ii)의 확률은 $4 \times \dfrac{3 \cdot 2 \cdot 2 \cdot 1 \cdot 1}{5 \cdot 4 \cdot 3 \cdot 2 \cdot 1} = \dfrac{2}{5} = 0.4$이다. 따라서 구하는 확률은 $\dfrac{3}{5} = 0.6$이다.

(2) (1)에 의해 B가 승리할 확률은 $\dfrac{2}{5}$이다. 이때 B가 꺼낸 구슬의 총 개수는 1개 또는 2개이다. 1개만 꺼내고 승리할 확률이 $\dfrac{2}{5} \cdot \dfrac{1}{4} = \dfrac{1}{10}$이므로 2개를 꺼내고 승리할 확률은 $\dfrac{4}{10} - \dfrac{1}{10} = \dfrac{3}{10}$이다. 따라서 B가 승리했을 때, B가 꺼낸 구슬의 총 개수가 2개일 확률은 $\dfrac{3/10}{4/10} = \dfrac{3}{4} = 0.75$이다.

(3) A가 승리하는 경우를 A가 첫 번째 꺼낸 구슬을 기준으로 나누어 보면 다음과 같다.
(ⅰ) 첫 번째 꺼낸 구슬이 흰 구슬인 경우:

A A   A A B A
○ ○   ○ ● ● ○

이 때 확률은 $\left(\dfrac{2}{5}\right)\left(\dfrac{1}{4}\right) + \left(\dfrac{2}{5}\right)\left(\dfrac{3}{4}\right)\left(\dfrac{2}{3}\right)\left(\dfrac{1}{2}\right) = \dfrac{1}{5} = 0.2$이다.

(ⅱ) 첫 번째 꺼낸 구슬이 검은 구슬인 경우:

A B A A   A B B A
● ● ○ ○   ● ○ ● ○

이 때 확률은 $\left(\dfrac{3}{5}\right)\left(\dfrac{2}{4}\right)\left(\dfrac{2}{3}\right)\left(\dfrac{1}{2}\right) + \left(\dfrac{3}{5}\right)\left(\dfrac{2}{4}\right)\left(\dfrac{2}{3}\right)\left(\dfrac{1}{2}\right) = \dfrac{1}{5} = 0.2$이다.

따라서 A가 승리할 확률은 $\dfrac{2}{5} = 0.4$이다.

[문제 4]

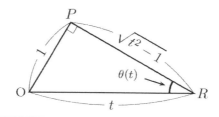

$\angle PRO$의 크기를 $\theta(t)$라고 하자. 삼각형 PRO는 피타고라스의 정리에 의해 $\angle OPR = 90°$인 직각삼각형이므로, 삼각형의 변의 길이와 삼각비의 정의에 의해 다음 관계가 성립한다.

$$\sin\theta(t) = \frac{1}{t}, \quad \cos\theta(t) = \frac{\sqrt{t^2-1}}{t} \quad \cdots\cdots ①$$

부채꼴 PRQ의 넓이 $A(t)$는

$$A(t) = \frac{1}{2}\left(\sqrt{t^2-1}\right)^2 \cdot 2\theta(t) = (t^2-1) \cdot \theta(t)$$

이므로 넓이의 t에 대한 변화율은 다음과 같다.

$$\frac{dA}{dt} = 2t \cdot \theta(t) + (t^2-1) \cdot \frac{d\theta}{dt} \quad \cdots\cdots ②$$

또한 부등식 $\sin\theta < \theta < \tan\theta \left(0 < \theta < \frac{\pi}{2}\right)$와 ①로부터

$$\frac{1}{t} < \theta(t) < \frac{1}{\sqrt{t^2-1}}$$

이고 $\lim_{t\to\infty}\frac{1}{t} = \lim_{t\to\infty}\frac{1}{\sqrt{t^2-1}} = 0$이므로 함수의 극한의 성질에 의해 $t\to\infty$이면 $\theta\to 0$이다.

먼저 ②의 우변 첫째 항의 극한값은 ①에 의해 다음과 같이 계산된다.

$$\lim_{t\to\infty} 2t \cdot \theta(t) = \lim_{t\to\infty}\left(\frac{2}{\sin\theta(t)} \cdot \theta(t)\right) = 2 \cdot \lim_{\theta\to 0}\left(\frac{\theta}{\sin\theta}\right) = 2 \quad \cdots\cdots ③$$

$\frac{d\theta}{dt}$를 구하기 위해 ①의 첫 번째 식의 양변을 미분하고 두 번째 식을 대입하면 다음과 같다.

$$-\frac{1}{t^2} = \frac{d}{dt}\sin\theta(t) = \cos\theta(t) \cdot \frac{d\theta}{dt} = \frac{\sqrt{t^2-1}}{t} \cdot \frac{d\theta}{dt}$$

이로부터

$$\frac{d\theta}{dt} = -\frac{1}{t\sqrt{t^2-1}}$$

을 얻는다. 따라서 ②의 우변 둘째 항의 극한값을 다음과 같이 계산할 수 있다.

$$\lim_{t\to\infty}(t^2-1) \cdot \frac{d\theta}{dt} = \lim_{t\to\infty}\left(-(t^2-1) \cdot \frac{1}{t\sqrt{t^2-1}}\right) = \lim_{t\to\infty}\left(-\frac{\sqrt{t^2-1}}{t}\right) = -1 \quad \cdots\cdots ④$$

위에서 계산한 ③과 ④로부터 넓이 $A(t)$의 변화율의 극한값은 다음과 같다.

$$\lim_{t\to\infty}\frac{dA}{dt} = \lim_{t\to\infty}\left(2t \cdot \theta(t) + (t^2-1) \cdot \frac{d\theta}{dt}\right) = 2 - 1 = 1$$

10. 2021학년도 숭실대 수시 논술 (자연 2)

[문제 1]

주기가 1인 주기함수 $f(x)$는 $0 \le x \le 1$에서 $f(x) = a - |2x-1|$이다. 함수 $g(x)$를 다음과 같이 정의하자. ($[x]$는 x를 넘지 않는 최대의 정수이다.)

$$g(x) = \frac{f(x)}{[x+1][x+2]} \quad (x \geq 0)$$

다음 문항에 답하시오.

(1) 임의의 자연수 k에 대하여, 함수 $g(x)$가 $x=k$에서 연속이 되도록 상수 a의 값을 정하시오.

(2) 문항 (1)에서 구한 상수 a에 대하여, n이 자연수일 때 $\displaystyle\int_0^n g(x)|\sin \pi x|dx$를 n의 식으로 나타내시오.

[문제 2]

곡선 $C : y = x^3 + ax$ 위의 점 P에서의 접선 ℓ과 곡선 C가 만나는 다른 점을 Q라고 하자. 선분 PQ의 중점 R의 x좌표를 b라고 할 때, 다음 문항에 답하시오.

(1) 점 P와 점 Q의 x좌표를 각각 b의 식으로 나타내시오.

(2) 곡선 C와 선분 PR 및 직선 $x=b$로 둘러싸인 도형의 넓이를 K, 곡선 C와 선분 QR 및 직선 $x=b$로 둘러싸인 도형의 넓이를 L이라 할 때, 극한값 $\displaystyle\lim_{b \to \infty} \frac{K}{L}$을 구하시오.

[문제 3]

흰 구슬 2개, 검은 구슬 3개가 들어 있는 주머니에서 흰 구슬이 모두 나올 때까지 구슬을 임의로 1개씩 꺼낸다고 하자. (단, 꺼낸 구슬은 다시 넣지 않는다.) 꺼낸 구슬의 총 개수를 확률변수 X라고 할 때, 다음 문항에 답하시오.

(1) 확률 $P(X=5)$를 구하시오.

(2) 기댓값 $E(X)$를 구하시오.

(3) 흰 구슬 2개, 검은 구슬 n개가 들어 있는 주머니에서 흰 구슬이 모두 나올 때까지 구슬을 임의로 1개씩 꺼낸다고 하자. (단, 꺼낸 구슬은 다시 넣지 않는다.) 꺼낸 구슬의 총 개수를 확률변수 Y라고 할 때, 기댓값 $E(Y)$를 n의 식으로 나타내시오.

[문제 4]

곡선 $C : x^2 + y = 6$과 직선 $\ell : 2x + y = 6$으로 둘러싸인 도형을 S라고 하자. 도형 T는 실수 a에 대하여 다음 조건을 모두 만족하는 직사각형 중 넓이가 가장 큰 직사각형이다.

(ⅰ) S의 내부에 포함된다.
(ⅱ) 가로는 x축과 평행하고 세로는 y축과 평행하다.
(ⅲ) 곡선 C 위의 점 $(a, -a^2 + 6)$에 오른쪽 위 꼭짓점을 두고 있다.

다음 문항에 답하시오.

(1) 직사각형 T의 넓이 M을 a의 식으로 나타내시오.

(2) 넓이 M이 최대가 되는 실수 a의 값을 구하시오.

[문제 1]

(1) 함수 $f(x)$는 주기가 1인 주기함수이고 $0 \leq x < \dfrac{1}{2}$일 때 $2x+(a-1)$, $\dfrac{1}{2} \leq x \leq 1$일 때 $-2x+(a+1)$이 므로 함수 $f(x)$의 그래프는 다음과 같다.

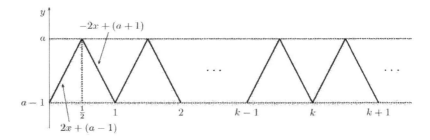

또한 $f(0)=f(1)=a-1$이므로 $f(x)$는 실수 전체에서 연속이다.

함수 $g(x)$의 $x=k$에서의 함숫값은 $g(k)=\dfrac{f(k)}{(k+1)(k+2)}=\dfrac{a-1}{(k+1)(k+2)}$이다.

$x=k$에서의 좌극한은 함수의 극한의 성질과 $f(x)$의 연속성 $\left(\lim\limits_{x \to k} f(x)=f(k)\right)$을 이용하여 다음과 같이 계산할 수 있다.

$$\lim_{x \to k-} \frac{f(x)}{[x+1][x+2]}=\frac{\lim\limits_{x \to k-} f(x)}{\lim\limits_{x \to k-}[x+1][x+2]}=\frac{f(k)}{k(k+1)}=\frac{a-1}{k(k+1)}$$

비슷한 방법으로 $x=k$에서의 우극한을 다음과 같이 구한다.

$$\lim_{x \to k+} \frac{f(x)}{[x+1][x+2]}=\frac{\lim\limits_{x \to k+} f(x)}{\lim\limits_{x \to k+}[x+1][x+2]}=\frac{f(k)}{(k+1)(k+2)}=\frac{a-1}{(k+1)(k+2)}$$

함수 $g(x)$가 $x=k$에서 연속이기 위해서는 함숫값과 좌극한 및 우극한이 모두 같아야 하므로 다음 식을 만족해야 한다.

$$\frac{a-1}{k(k+1)}=\frac{a-1}{(k+1)(k+2)}$$

따라서 $a=1$이다.

(2) 문항 (1)에서 구한 $a=1$을 대입하면 함수 $f(x)$는 $0 \leq x < \dfrac{1}{2}$일 때 $2x$, $\dfrac{1}{2} \leq x \leq 1$일 때 $-2x+2$이다. 이때 정적분의 성질에 의하여 구하고자 하는 식은 다음과 같다.

$$\int_0^n g(x)|\sin \pi x|dx$$

$$= \int_0^1 \frac{f(x)}{1 \cdot 2}|\sin \pi x|dx + \int_1^2 \frac{f(x)}{2 \cdot 3}|\sin \pi x|dx + \cdots + \int_{n-1}^n \frac{f(x)}{n \cdot (n+1)}|\sin \pi x|dx$$

$$= \sum_{k=1}^n \frac{1}{k(k+1)} \int_{k-1}^k f(x)|\sin \pi x|dx$$

정적분 $\displaystyle\int_{k-1}^k f(x)|\sin \pi x|dx$를 구하기 위해 $t = x-(k-1)$로 놓고 치환적분법과 함수 $f(x)$의 주기성을 이용하면 다음 등식을 얻는다.

$$\int_{k-1}^k f(x)|\sin \pi x|dx = \int_0^1 f(t+k-1)\left|(-1)^{k-1}\sin \pi t\right|dt$$

$$= \int_0^1 f(t)\sin \pi t\, dt$$

$$= \int_0^{\frac{1}{2}} 2t \sin \pi t\, dt + \int_{\frac{1}{2}}^1 (2-2t)\sin \pi t\, dt$$

위 식의 두 번째 적분에서 $u = 1-t$로 치환하면

$$\int_{\frac{1}{2}}^1 (2-2t)\sin \pi t\, dt = \int_0^{\frac{1}{2}} 2u \sin \pi u\, du$$

이므로

$$\int_{k-1}^k f(x)|\sin \pi x|dx = \int_0^{\frac{1}{2}} 4t \sin \pi t\, dt$$

이다. 부분적분법을 이용하여 $\displaystyle\int_0^{\frac{1}{2}} 4t \sin \pi t\, dt$을 구하면

$$\int_0^{\frac{1}{2}} 4t \sin \pi t\, dt = \left[-4t \cdot \frac{1}{\pi}\cos \pi t\right]_0^{\frac{1}{2}} + \int_0^{\frac{1}{2}} 4 \cdot \frac{1}{\pi}\cos \pi t\, dt = \left[\frac{4}{\pi^2}\sin \pi t\right]_0^{\frac{1}{2}} = \frac{4}{\pi^2}$$

따라서 $\displaystyle\int_0^n g(x)|\sin \pi x|dx$은 다음과 같다.

$$\int_0^n g(x)|\sin \pi x|dx = \sum_{k=1}^n \frac{1}{k(k+1)} \int_{k-1}^k f(x)|\sin \pi x|dx$$

$$= \sum_{k=1}^n \frac{1}{k(k+1)} \cdot \frac{4}{\pi^2}$$

$$= \frac{4}{\pi^2}\sum_{k=1}^n \left(\frac{1}{k} - \frac{1}{k+1}\right)$$

$$= \frac{4}{\pi^2} \cdot \frac{n}{n+1}$$

[문제 2]

(1) 점 P의 좌표를 $(t,\ t^3+at)$라고 하자. 점 P에서의 접선의 기울기는 $(3t^2+a)$이므로 구하는 접선 ℓ의 방정식은

$$y=(3t^2+a)(x-t)+(t^3+at)=(3t^2+a)x-2t^3$$

이다. 직선 ℓ과 곡선 C의 교점의 x좌표는 다음 방정식을 만족한다.

$$(3t^2+a)x-2t^3=x^3+ax \Leftrightarrow (x-t)^2(x+2t)=0$$

따라서 점 Q의 x좌표는 $-2t$이고 선분 PQ의 중점 R의 x좌표는 $b=-\dfrac{t}{2}$이다. 그러므로 점 P의 x좌표는 $-2b$, 점 Q의 x좌표는 $4b$이다.

(2) $b>0$이면 접선 ℓ은 곡선 C와 그림과 같이 접한다.

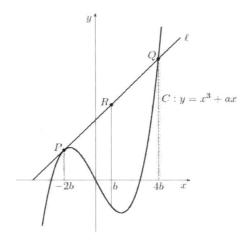

접선 ℓ의 방정식은

$$y=(12b^2+a)x+16b^3$$

이므로 두 도형의 넓이 K, L은 다음과 같다.

$$K=\int_{-2b}^{b}(-x^3+12b^2x+16b^3)dx=\left[-\frac{x^4}{4}+6b^2x^2+16b^3x\right]_{-2b}^{b}=\frac{135}{4}b^4$$

$$L=\int_{b}^{4b}(-x^3+12b^2x+16b^3)dx=\left[-\frac{x^4}{4}+6b^2x^2+16b^3x\right]_{b}^{4b}=\frac{297}{4}b^4$$

따라서 구하는 극한값은 $\displaystyle\lim_{b\to\infty}\frac{K}{L}=\frac{135}{297}=\frac{5}{11}$이다.

[문제 3]

(1) $X=5$이기 위해서는 다섯 번째 나오는 구슬이 흰 구슬이어야 한다. 각각의 경우를 그림으로 나타내면 다음과 같다.

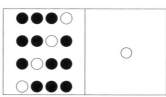

178

따라서 구하는 확률은

$$\mathrm{P}(X=5) = 4 \times \frac{3 \cdot 2 \cdot 2 \cdot 1 \cdot 1}{5 \cdot 4 \cdot 3 \cdot 2 \cdot 1} = \frac{2}{5} = 0.4$$

이다.

(2) X의 확률분포를 구하면 다음과 같다.

x	2	3	4	5
$\mathrm{P}(X=x)$	$1 \times \dfrac{2 \cdot 1}{5 \cdot 4} = \dfrac{1}{10}$	$2 \times \dfrac{3 \cdot 2 \cdot 1}{5 \cdot 4 \cdot 3} = \dfrac{2}{10}$	$3 \times \dfrac{3 \cdot 2 \cdot 2 \cdot 1}{5 \cdot 4 \cdot 3 \cdot 2} = \dfrac{3}{10}$	$\dfrac{4}{10}$

따라서 확률변수 X의 기댓값은 다음과 같다.

$$\mathrm{E}(X) = 2 \cdot \frac{1}{10} + 3 \cdot \frac{2}{10} + 4 \cdot \frac{3}{10} + 5 \cdot \frac{4}{10} = 4$$

(3) 확률변수 Y는 2부터 $n+2$까지의 값을 갖는다. 확률변수 Y의 값이 y이기 위해서는 두 번째 흰 구슬이 y번째에 나와야 한다. 첫 번째 흰 구슬이 i번째 $(i = 1, 2, \cdots, y-1)$ 에 나오고 두 번째 흰 구슬이 y번째에 나올 확률은 모든 i에 대해 동일하게

$$\frac{2 \cdot 1 \times n(n-1) \cdots (n-(y-3))}{(n+2)(n+1) \cdots (n+2-(y-1))} = \frac{2}{(n+1)(n+2)}$$

이므로

$$\mathrm{P}(Y=y) = \frac{2(y-1)}{(n+1)(n+2)} \quad (y = 2, 3, \cdots, n+2)$$

이다.

따라서 확률변수 Y의 기댓값은 다음과 같다.

$$\begin{aligned}
\mathrm{E}(Y) &= \sum_{y=2}^{n+2} y \cdot \frac{2(y-1)}{(n+1)(n+2)} \\
&= \frac{2}{(n+1)(n+2)} \sum_{y=1}^{n+1} y(y+1) \\
&= \frac{2}{(n+1)(n+2)} \left(\frac{(n+1)(n+2)(2n+3)}{6} + \frac{(n+1)(n+2)}{2} \right) \\
&= \frac{2}{3}n + 2
\end{aligned}$$

[문제 4]

(1)

> （ⅰ）S의 내부에 포함된다.
>
> （ⅱ）가로는 x축과 평행하고 세로는 y축과 평행하다.
>
> （ⅲ）곡선 C 위의 점 $(a, -a^2+6)$에 오른쪽 위 꼭짓점을 두고 있다.

위 조건을 모두 만족하는 직사각형의 넓이가 최대가 되기 위해서는 아래 그림과 같이 직사각형의 왼쪽 아래 꼭짓점이 직선 $\ell : 2x + y = 6$위에 놓여야 한다. 또한 곡선 C와 직선 ℓ의 교점의 x좌표는 $x = 0, 2$이므로, a의 범위는 $0 < a < 2$이다.

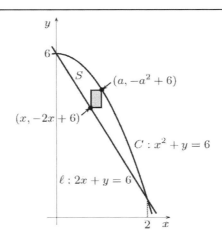

왼쪽 아래 꼭짓점이 $(x,\ -2x+6)$이고 오른쪽 위 꼭짓점이 $\left(a,\ -a^2+6\right)$인 직사각형의 넓이를 $f(x)$라고 하자. 왼쪽 아래 꼭짓점의 x, y좌표는 오른쪽 위 꼭짓점의 x, y좌표보다 작아야 하므로 $\dfrac{1}{2}a^2 < x < a$을 만족해야 한다. 이 직사각형의 가로와 세로의 길이는 각각 $a-x$와 $-a^2+6-(-2x+6)=-a^2+2x$이므로 직사각형의 넓이는 다음과 같다.

$$f(x)=(a-x)(-a^2+2x)=-2x^2+(a^2+2a)x-a^3=-2\left(x-\dfrac{a^2+2a}{4}\right)^2+\dfrac{a^4-4a^3+4a^2}{8}$$

$0<a<2$에서 $\dfrac{1}{2}a^2<\dfrac{a^2+2a}{4}<a$이므로 $f(x)$는 $x=\dfrac{a^2+2a}{4}$일 때 최대가 되고 이때의 최댓값이 직사각형 T의 넓이

$$M=\dfrac{1}{8}a^4-\dfrac{1}{2}a^3+\dfrac{1}{2}a^2$$

이다.

(2) $M=M(a)=\dfrac{1}{8}a^4-\dfrac{1}{2}a^3+\dfrac{1}{2}a^2$의 a에 대한 도함수

$$M'(a)=\dfrac{1}{2}a^3-\dfrac{3}{2}a^2+a=\dfrac{1}{2}a(a-1)(a-2)$$

는 $0<a<2$일 때 $a=1$에서 0이므로 M의 증가와 감소를 표로 나타내면 다음과 같다.

a	0	$\cdots$	1	$\cdots$	2
$M'(a)$		+	0	−	
$M(a)$		↗	$\dfrac{1}{8}$	↘	

따라서 $a=1$일 때 $M(1)=\dfrac{1}{8}$로 최대가 된다.

11. 2021학년도 숭실대 모의 논술

[문제 1]

함수 $f(x) = \sqrt{x}\ln x (x \geq 1)$의 역함수를 $g(x)$라고 할 때, 함수 $h(x) = g(2x-1)$에 대하여 다음 문항에 답하시오.

(1) 곡선 $y = h(x)$위의 점 $\left(\dfrac{\sqrt{e}+1}{2},\ e\right)$에서의 접선의 방정식을 구하시오.

(2) 곡선 $y = h(x)$와 x축 및 두 직선 $x = \dfrac{1}{2}$, $x = \dfrac{\sqrt{e}+1}{2}$로 둘러싸인 도형의 넓이 S를 구하시오.

[문제 2]

좌표평면 위에 중심이 원점 O이고 곡선 $y = x\tan x \left(0 \leq x < \dfrac{\pi}{2}\right)$위의 점 $P(u,\ u\tan u)$를 지나는 원 C가 있다. <그림 1>과 같이 평면도형 F는 원 C와 선분 OP및 y축으로 둘러싸인 부채꼴이고, 입체도형 S는 밑면이 F이고 높이가 $h(u)$인 부채꼴 기둥이다. S의 부피 $V(u)$의 순간변화율 $\dfrac{dV}{du}$가 항상 0이고 $V(1) = 1$일 때, $\displaystyle\lim_{u \to \frac{\pi}{2}-} \dfrac{dh}{du}$를 구하시오.

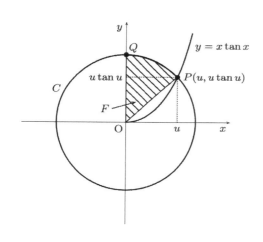 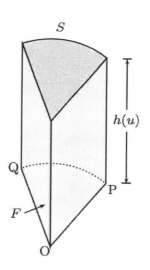

<그림 1>

[문제 3]

배구 경기는 5세트 중에서 3세트를 먼저 이긴 팀이 최종 승리한다. 매 세트마다 한 팀이 다른 팀을 이길 확률은 이전 세트까지의 전적(세트스코어)에 의해 결정되는데, 세트스코어가 s

승 t패인 팀이 다음 세트에서 이길 확률은 $\dfrac{(s-t)+5}{10}$이다. (단, 매 세트에 무승부는 없다.)

예를 들어, 한 팀이 첫 세트(0승 0패일 때)를 이길 확률은 $\dfrac{(0-0)+5}{10}=\dfrac{1}{2}$이고, 세트스코어

2승 0패일 때 다음 세트를 이길 확률은 $\dfrac{(2-0)+5}{10}=\dfrac{7}{10}$이다. 최종 승리하는 팀이 결정될

때까지 치러지는 세트 수를 확률변수 X라 할 때, 다음 문항에 답하시오.

(1) 확률 $P(X \geq 4)$을 구하시오.

(2) 기댓값 $E(X)$를 구하시오.

[문제 4]

<그림 2>와 같이, 유리함수 $y=\dfrac{1}{x^k}$의 그래프 위의 점 $P_n\left(n, \dfrac{1}{n^k}\right)$이 있다. (단, k, n은

자연수이다.) 원점 O와 점 P_n을 이은 선분이 y축의 양의 방향과 이루는 각을 θ_n이라 할

때,

$$\lim_{n \to \infty} \left\{ an^b \tan(\theta_{n+1}-\theta_n) \right\} = 1$$

을 만족하는 a, b를 k에 대한 식으로 각각 나타내시오.

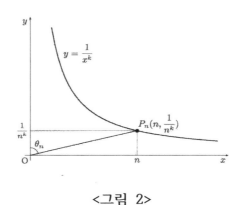

<그림 2>

[문제 1]

(1) 합성함수의 미분법을 이용하면

$$h'(x)=g'(2x-1) \cdot (2x-1)'=2g'(2x-1)$$

이므로, 곡선 $y=h(x)$ 위의 점 $\left(\dfrac{\sqrt{e}+1}{2}, e\right)$에서의 접선의 기울기는 $h'\left(\dfrac{\sqrt{e}+1}{2}\right)=2g'(\sqrt{e})$

이다. $e=h\left(\dfrac{\sqrt{e}+1}{2}\right)=g(\sqrt{e})$, 즉 $f(e)=\sqrt{e}$이므로 역함수의 미분법에 의하면 $g'(\sqrt{e})=\dfrac{1}{f'(e)}$

이고, 구하는 접선의 기울기는

$$h'\left(\dfrac{\sqrt{e}+1}{2}\right)=2g'(\sqrt{e})=\dfrac{2}{f'(e)}$$

이다. 함수 $f(x)$의 도함수는

$$f'(x) = \frac{1}{2\sqrt{x}} \cdot \ln x + \sqrt{x} \cdot \frac{1}{x} = \frac{1}{2\sqrt{x}}(\ln x + 2)$$

이므로 $f'(e) = \frac{3}{2\sqrt{e}}$이고, $h'\left(\frac{\sqrt{e}+1}{2}\right) = \frac{2}{f'(e)} = \frac{4\sqrt{e}}{3}$이다. 따라서 곡선 $y = h(x)$ 위의 점 $\left(\frac{\sqrt{e}+1}{2},\ e\right)$에서의 접선의 방정식은 다음과 같다.

$$y - e = \frac{4\sqrt{e}}{3}\left(x - \frac{\sqrt{e}+1}{2}\right) \Rightarrow y = \frac{4\sqrt{e}}{3}x - \frac{1}{3}(2\sqrt{e} - e)$$

(2) 도형의 넓이 S를 구하기 위해서는 구간 $\left[\frac{1}{2},\ \frac{\sqrt{e}+1}{2}\right]$에서 함수 $y = h(x)$의 부호를 확인해야 한다. 함수 $f(x) = \sqrt{x}\ln x$는 $x \geq 1$일 때만 정의된 증가함수이므로, 역함수 $g(x)$의 함숫값은 1보다 크거나 같다. 따라서 $h(x) = g(2x-1) \geq 1$이고, 넓이 S는

$$S = \int_{\frac{1}{2}}^{\frac{\sqrt{e}+1}{2}} |h(x)|dx = \int_{\frac{1}{2}}^{\frac{\sqrt{e}+1}{2}} h(x)dx$$

이다. 함수 $h(x)$의 정의와 치환적분법을 이용하면 위의 정적분은 다음과 같이 계산된다.

$$S = \int_{\frac{1}{2}}^{\frac{\sqrt{e}+1}{2}} h(x)dx = \int_{\frac{1}{2}}^{\frac{\sqrt{e}+1}{2}} g(2x-1)dx = \frac{1}{2}\int_{0}^{\sqrt{}} g(x)dx$$

함수 $f(x)$와 역함수 $g(x)$는 $\int_{a}^{b} f(x)dx + \int_{f(a)}^{f(b)} g(x)dx = bf(b) - af(a)$를 만족하므로 (아래 그림 참고)

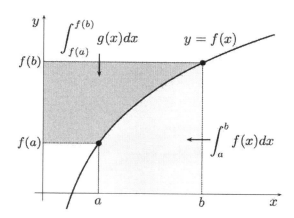

다음 관계식이 성립한다.

$$\int_{1}^{e} f(x)dx + \int_{0}^{\sqrt{e}} g(x)dx = e\sqrt{e}$$

위 관계식과 부분적분법을 이용하여 $\int_{0}^{\sqrt{e}} g(x)dx$를 계산하면

$$\int_0^{\sqrt{e}} g(x)dx = e\sqrt{e} - \int_1^e \sqrt{x}\ln x\,dx$$

$$= e\sqrt{e} - \left[\frac{2}{3}x^{\frac{3}{2}}\ln x\right]_1^e + \int_1^e \left(\frac{2}{3}x^{\frac{3}{2}}\right)\left(\frac{1}{x}\right)dx$$

$$= e\sqrt{e} - \frac{2}{3}e\sqrt{e} + \left[\frac{4}{9}x^{\frac{3}{2}}\right]_1^e$$

$$= \frac{1}{9}(7e\sqrt{e}-4)$$

이다. 따라서 도형의 넓이 $S = \dfrac{1}{2}\displaystyle\int_0^{\sqrt{e}} g(x)dx = \dfrac{1}{18}(7e\sqrt{e}-4)$**이다.**

[문제 2]

두 점 O, P를 잇는 직선의 기울기는

$$\frac{u\tan u - 0}{u - 0} = \tan u$$

이므로, 선분 OP와 x축의 양의 방향이 이루는 각의 크기는 u이다. 따라서 부채꼴 F의 중심각의 크기는 $\dfrac{\pi}{2}-u$이고 반지름은

$$\overline{OP} = \sqrt{u^2 + (u\tan u)^2} = u\sqrt{1+\tan^2 u} = u\sec u$$

이다. 이로부터 부채꼴 F의 넓이 $A(u)$를 다음과 같이 구할 수 있다.

$$A(u) = \frac{1}{2}(u\sec u)^2\left(\frac{\pi}{2}-u\right) = \frac{1}{2}u^2\frac{\frac{\pi}{2}-u}{\cos^2 u} = \frac{1}{2}u^2\frac{\frac{\pi}{2}-u}{\sin^2\left(\frac{\pi}{2}-u\right)}$$

입체도형 S의 부피 $V(u)$는 순간변화율이 0이므로 $V(1)=1$로 항상 일정하다. 따라서 입체도형 S의 높이 $h(u)$는

$$h(u) = \frac{V(u)}{A(u)} = \frac{V(1)}{A(u)} = \frac{2\sin^2\left(\frac{\pi}{2}-u\right)}{u^2\left(\frac{\pi}{2}-u\right)}$$

이다. 몫의 미분법에 의해 $h(u)$의 도함수는 다음과 같이 구할 수 있다.

$$\frac{dh}{du} = \frac{-4\sin\left(\frac{\pi}{2}-u\right)\cos\left(\frac{\pi}{2}-u\right)\cdot u^2\left(\frac{\pi}{2}-u\right) - 2\sin^2\left(\frac{\pi}{2}-u\right)\cdot(\pi u - 3u^2)}{u^4\left(\frac{\pi}{2}-u\right)^2}$$

$$= \frac{-4\cos\left(\frac{\pi}{2}-u\right)}{u^2}\cdot\frac{\sin\left(\frac{\pi}{2}-u\right)}{\left(\frac{\pi}{2}-u\right)} - \frac{2(\pi-3u)}{u^3}\cdot\frac{\sin^2\left(\frac{\pi}{2}-u\right)}{\left(\frac{\pi}{2}-u\right)^2}$$

함수 곱의 극한에 대한 성질과 $\lim\limits_{u \to \frac{\pi}{2}^-} \dfrac{\sin\left(\frac{\pi}{2} - u\right)}{\left(\frac{\pi}{2} - u\right)} = 1$을 이용하면, 구하고자 하는 극한값은 다음과 같 다.

$$\lim_{u \to \frac{\pi}{2}^-} \frac{dh}{du} = \frac{-4\cos 0}{\left(\frac{\pi}{2}\right)^2} \cdot 1 - \frac{2\left(\pi - 3\frac{\pi}{2}\right)}{\left(\frac{\pi}{2}\right)^3} \cdot 1 = -\frac{8}{\pi^2}$$

[문제 3]

(1) 확률변수 X는 3, 4, 5의 값만을 가지므로 $P(X \geq 4) = 1 - P(X = 3)$이다. $P(X = 3)$은 한 팀이 3세트를 연속해서 이길 확률이므로,

$$P(X = 3) = 2\left(\frac{5}{10} \cdot \frac{6}{10} \cdot \frac{7}{10}\right) = \frac{21}{50} = 0.42$$

이다. 따라서 확률 $P(X \geq 4)$는 다음과 같다.

$$P(X \geq 4) = 1 - P(X = 3) = \frac{29}{50} = 0.58$$

(2) 기댓값 $E(X)$를 계산하기 위해서는 먼저 확률변수 X의 확률분포를 구해야 한다. $P(X = 3)$은 문항 (2)에서 이미 얻었으므로 $P(X = 4)$와 $P(X = 5)$만 구하면 된다. 어느 한 팀이 최종 승리할 때까지 4세트를 치르는 경우는

(패, 승, 승, 승), (승, 패, 승, 승), (승, 승, 패, 승)

의 3가지이다. 따라서 $P(X = 4)$는 다음과 같이 계산된다.

$$P(X = 4) = 2\left(\frac{5}{10} \cdot \frac{4}{10} \cdot \frac{5}{10} \cdot \frac{6}{10} + \frac{5}{10} \cdot \frac{4}{10} \cdot \frac{5}{10} \cdot \frac{6}{10} + \frac{5}{10} \cdot \frac{6}{10} \cdot \frac{3}{10} \cdot \frac{6}{10}\right)$$
$$= \frac{87}{250} = 0.348$$

한편 $P(X = 5)$는 여사건의 확률을 이용하여 다음과 같이 구할 수 있다.

$$P(X = 5) = 1 - P(X = 3) - P(X = 4) = 1 - \frac{21}{50} - \frac{87}{250} = \frac{29}{125} = 0.232$$

따라서 기댓값 $E(X)$는 다음과 같이 계산된다.

$$E(X) = 3 \times \frac{21}{50} + 4 \times \frac{87}{250} + 5 \times \frac{29}{125} = \frac{953}{250} = 3.812$$

[문제 4]

$\tan\theta_n = \dfrac{n}{\dfrac{1}{n^k}} = n^{k+1}$이므로 탄젠트함수의 덧셈정리와 이항정리에 의해 다음 식을 얻는다.

$$\tan(\theta_{n+1}-\theta_n)=\frac{\tan\theta_{n+1}-\tan\theta_n}{1+\tan\theta_{n+1}\tan\theta_n}=\frac{(n+1)^{k+1}-n^{k+1}}{1+(n+1)^{k+1}n^{k+1}}$$

$$=\frac{\left(_{k+1}C_0 n^{k+1}+{}_{k+1}C_1 n^k+\cdots+{}_{k+1}C_{k+1}\right)-n^{k+1}}{1+(n+1)^{k+1}n^{k+1}}$$

$$=\frac{_{k+1}C_1 n^k+\cdots+{}_{k+1}C_{k+1}}{1+(n+1)^{k+1}n^{k+1}}$$

주어진 식에 이를 대입하면

$$an^b\tan(\theta_{n+1}-\theta_n)=\frac{a\left(_{k+1}C_1 n^{k+b}+\cdots+{}_{k+1}C_{k+1}n^b\right)}{1+(n+1)^{k+1}n^{k+1}}$$

이다. 위 식의 우변에서 분자와 분모의 최고차항이 각각 $a(k+1)n^{k+b}$와 n^{2k+2}이므로, 극한값 $\lim\limits_{n\to\infty}\left\{an^b\tan(\theta_{n+1}-\theta_n)\right\}$이 0이 아닌 상수일 조건은 $a\neq0$, $k+b=2k+2$이고, 이때의 극한값은 $a(k+1)=1$이다. 따라서 a, b를 k에 대한 식으로 나타내면 다음과 같다.

$$a=\frac{1}{k+1},\quad b=k+2$$